下　卷 | 明清及近代

诗外文章

文学、历史、哲学的对话

著 | 王充闾

人民文学出版社

下卷·目录

明　代

山泉人格化 ································· 3
　　宋濂　五折泉
有用与无用 ································· 5
　　刘基　春蚕
名人效应 ··································· 7
　　刘基　题《安石蒲葵图》
纯乎天籁 ··································· 9
　　偰逊　山雨
长于知人　短于虑己 ······················· 11
　　高启　读史二首（选一）
诗人兴寄费猜评 ···························· 13
　　高启　叹庭树
惧祸心态 ·································· 15
　　王恭　咏白头翁
鹦鹉能言的下场 ···························· 17
　　方孝孺　鹦鹉
本分之言 ·································· 19

李昌祺　山中见牡丹
识机在先 ································· 21
　　　李昌祺　舞阳留侯庙(二首选一)
咬得菜根　百事可做 ······················· 23
　　　于谦　题画菜
功成身退 ································· 25
　　　于谦　偶题(三首选一)
春之歌 ··································· 27
　　　于谦　除夜太原寒甚
以逸待劳 ································· 29
　　　兰廷瑞　信天翁
纸上桃源 ································· 31
　　　沈周　桃源图
春自冬来 ································· 33
　　　庄昶　题画
简更难 ··································· 35
　　　李东阳　柯敬仲墨竹二绝(选一)
报国无门的悲哀 ··························· 37
　　　李东阳　画马四绝(选一)
平地风波 ································· 39
　　　李东阳　茶陵竹枝歌(十首选一)
心神自扰 ································· 41
　　　祝允明　绝句
故旧不遗 ································· 43
　　　祝允明　换弊袍
虚舟无心 ································· 45
　　　湛若水　朴水渔舟

厌弃空名 ··· 47
  文徵明　送钱元抑南归口号十首(选一)

戏剧人生 ··· 49
  文徵明　子弟

冷落秋花 ··· 51
  唐寅　旅馆题菊

"贤哉寅也" ·· 53
  唐寅　风雨浃旬,厨烟不继,涤砚吮笔,萧条若僧,因题绝句
    八首,奉寄孙思和(选一)

何事秋风悲画扇 ··· 55
  唐寅　题秋风纨扇图

自尊无畏 ··· 57
  王守仁　泛海

平涛叵测 ··· 59
  李梦阳　江行杂诗七首(选一)

超妙的通慰 ·· 61
  边贡　嫦娥

同命相怜 ··· 63
  杨慎　兴教寺海棠

心中有法 ··· 65
  杨继盛　言志诗

师法自然 ··· 67
  徐渭　题画梅二首(选一)

直话曲说 ··· 69
  徐渭　仙人掏耳图

悲剧人生 ··· 71
  徐渭　题墨葡萄(五首选一)

看景不如听景 ·· 74
  徐渭　桃叶渡

村居野趣 ·· 76
  王世贞　暮秋村居即事

莫混兰艾 ·· 78
  陈继儒　王楚玉画兰

兰花个性化（一）·· 80
  薛冈　兰花

兰花个性化（二）·· 82
  李日华　画兰

深服渊明 ·· 84
  袁中道　读子瞻集书呈中郎

忆　别 ·· 86
  李流芳　题与宋比玉合作山水

咫尺天涯 ·· 88
  徐熥　送友人之白下

终老无成的教训 ·· 90
  宋应星　怜愚

景外见意 ·· 92
  萧云从　秋山霜霁图

清及近代

妙在疏 ·· 97
  金人瑞　与儿子

行己有耻 ·· 99
  吴伟业　怀古兼吊侯朝宗

寒操劲节 ·· 102

黄宗羲　书事(三首选一)

尽信书不如无书 …………………………………… 104
　　李渔　读史志愤

白发贵如金？ ……………………………………… 107
　　函可　喜陈子罢役

义理昭然 …………………………………………… 109
　　江阴女子　题城墙

船工智语 …………………………………………… 111
　　高珩　闻舟师相语

斗士丰姿 …………………………………………… 113
　　王夫之　绝句(六首选一)

西施心结 …………………………………………… 115
　　毛先舒　吴宫词

神闲就是神仙 ……………………………………… 117
　　汪琬　月下演东坡语(二首选一)

宦海惊涛 …………………………………………… 119
　　汪琬　连遇大风,舟行甚迟,戏为二绝(其二)

真情至上 …………………………………………… 121
　　陈恭尹　次韵答徐紫凝

早知如此　何必当初 ……………………………… 123
　　宋荦　落花

仁智之言 …………………………………………… 125
　　张璨　寄家书

泣血悲歌 …………………………………………… 127
　　陆次云　题荆山石壁

为千古文人吐气 …………………………………… 129
　　陆次云　疑冢

故交不忘 …………………………………………… 131
   洪昇　钓台（四首选一）
颂里藏锋 …………………………………………… 133
   潘耒　马当山
无谓的拼争 ………………………………………… 135
   查慎行　蚁斗
盛极而衰 …………………………………………… 137
   查慎行　二月朔日碧桃盛开
两个不眠人 ………………………………………… 139
   庞鸣　吴宫词
眼前语是奇绝语 …………………………………… 141
   徐兰　出关
惶恐滩头说惶恐 …………………………………… 143
   赵执信　惶恐滩口号
世间没有双全法 …………………………………… 145
   仓央嘉措　情歌
如此"官魂" ………………………………………… 147
   黄任　戏示僚友
不独人亡物亦亡 …………………………………… 149
   厉鹗　湖楼题壁
白发无公道 ………………………………………… 151
   翁志琦　白发
为强者造像 ………………………………………… 153
   郑燮　竹石
求人不如求己 ……………………………………… 155
   郑燮　篱竹
别开生面的竹颂 …………………………………… 157

郑燮　题画竹

勇破成规 ·· 159
　　　郑燮　出纸一竿

几点梅花最可人 ······································ 161
　　　李方膺　画梅并题诗

旷达自信 ·· 163
　　　翁格　暮春

彩云易散 ·· 165
　　　赵艳雪　悼金夫人

记得当年 ·· 168
　　　刘芳　咏落叶

红叶情深 ·· 170
　　　任锦心　西湖看红叶

良工不示人以璞 ······································ 172
　　　袁枚　遣兴（二十四首之五）

重在解用 ·· 174
　　　袁枚　遣兴（二十四首之七）

观棋　观人　观心 ·································· 176
　　　袁枚　春日偶吟

人文胜概 ·· 178
　　　袁枚　谒岳王墓

全在一个"养"字 ·································· 180
　　　袁枚　养马图

瞎忙　空忙　苦忙 ·································· 182
　　　袁枚　箸

说给狂妄无知者听 ·································· 184
　　　袁枚　北邙山

神韵当先 ……………………………………… 186
　　　袁枚　品画
计之毒 ………………………………………… 188
　　　袁枚　鸡
各有各的活法 ………………………………… 190
　　　袁枚　咏苔二首
过来事怕从头想 ……………………………… 192
　　　袁枚　重登永庆寺塔
随遇而安 ……………………………………… 194
　　　袁枚　入武林城作（四首选一）
自主为高 ……………………………………… 196
　　　袁枚　纸鸢
"冷应酬" ……………………………………… 198
　　　袁枚　遣兴
珍惜当下 ……………………………………… 200
　　　孙啸壑　夜吟
寒士悲歌 ……………………………………… 202
　　　陈浦　醉后题壁
良人岂料作凉人 ……………………………… 205
　　　吴镇　韩城行
仕路难行 ……………………………………… 207
　　　蒋士铨　怅惘
开到十分花事了 ……………………………… 209
　　　蒋士铨　题王石谷画册（其一）
妙在模糊 ……………………………………… 211
　　　蒋士铨　题王石谷画册（其二）
人生难得一知己 ……………………………… 213

蒋士铨　寄随园先生

矛盾无处不在…………………………………………215
　　　何士颙　望晴

日日新　又日新…………………………………………217
　　　赵翼　论诗(五首之一)

各领风骚…………………………………………………219
　　　赵翼　论诗(五首之二)

切忌人云亦云……………………………………………221
　　　赵翼　论诗(五首之三)

宵小能量大………………………………………………223
　　　赵翼　一蚊

"第一个历史活动"………………………………………225
　　　赵翼　江边鸥鹭

云山变幻…………………………………………………227
　　　赵翼　看山

重视"自致角色"…………………………………………229
　　　赵翼　草花略灌,辄欣欣向荣,乃知贱种尤易滋长也

矛盾转化　顺逆翻覆(一)………………………………231
　　　赵翼　漓江舟行(二首选一)

矛盾转化　顺逆翻覆(二)………………………………233
　　　赵翼　顺风歌(四首选一)

异化劳动的成果…………………………………………235
　　　赵翼　闲阅史事六首(选一)

苍凉的慨叹………………………………………………237
　　　赵翼　郊外见残菊

视角的差异………………………………………………239
　　　赵翼　庐山杂诗(八首之四)

出处进退的考量 ……………………………………… 241
  赵翼　庐山杂诗(八首之七)

惨痛人生 ……………………………………………… 243
  赵翼　观煮茧

诗人谈老 ……………………………………………… 245
  赵翼　出遇

原来樵子是仙人 ……………………………………… 247
  赵翼　题《春山仙弈图》(七绝二首)

暗中难防 ……………………………………………… 249
  汪启淑　咏蚊

殊堪风世 ……………………………………………… 251
  潘瑛　宛转歌

不为人开仰面花 ……………………………………… 253
  管世铭　七绝

诅咒黑暗 ……………………………………………… 255
  洪亮吉　读史(六十四首选一)

一往情深 ……………………………………………… 257
  宋湘　题兰(二首选一)

夤缘云路上　总有下山时 …………………………… 259
  钱泳　游山诗

造化欺人 ……………………………………………… 261
  郭麐　南唐杂咏

社会新变的期待 ……………………………………… 263
  张维屏　新雷

献身不惜作尘泥 ……………………………………… 265
  龚自珍　己亥杂诗(三一五首之五)

观　势 ………………………………………………… 267

　　　　龚自珍　己亥杂诗(三一五首之十九)

示　警 ………………………………………………… 269
　　　　龚自珍　己亥杂诗(三一五首之一〇六)

渴求变革　呼唤人才 ……………………………… 271
　　　　龚自珍　己亥杂诗(三一五首之一二五)

智者以盈满为戒 …………………………………… 273
　　　　龚自珍　己亥杂诗(三一五首之二七二)

富贵暂如花 ………………………………………… 275
　　　　祁嶲藻　立春后一日长椿寺牡丹盛开

金钱的魔力 ………………………………………… 277
　　　　乌尔恭额　观人所藏古钱

花魂梦 ……………………………………………… 279
　　　　魏源　赣江舟中棹歌(七首选一)

闻鸡遐想 …………………………………………… 281
　　　　魏源　晓窗

身闲趣自深 ………………………………………… 283
　　　　刘湛之　近月楼即事

穷乃工诗 …………………………………………… 285
　　　　郑珍　书樾峰诗稿后

功成之患 …………………………………………… 288
　　　　曾国藩　沅甫弟四十一初度

咏物贵有寄托 ……………………………………… 291
　　　　于华春　捕蟹

错在失掉自我 ……………………………………… 293
　　　　金和　西施咏

警惕"逆淘汰"倾向 ………………………………… 295
　　　　金和　杂诗

歌哭无端 ··· 297
   俞樾　齐物诗(七首选一)

舵手之歌 ··· 299
   俞樾　舵

散场吟 ··· 301
   俞樾　别家人

野鹤的悲剧 ··· 303
   纪钜维　饲鹤

空谈误国 ··· 305
   李龙石　论古人(十四首选一)

千金与一饭 ··· 308
   李龙石　春夜咏怀(四首之二)

物竞天择 ··· 311
   黄遵宪　己亥杂诗(选一)

水流花落两无情 ··· 313
   释敬安　流水

但求神似 ··· 315
   文廷式　临池

目注苍生 ··· 317
   丘逢甲　春日杂诗(二首选一)

论史者戒 ··· 319
   丘逢甲　有书时事者为赘其卷端(四首选一)

讽刺的生命是真实 ··· 321
   谭嗣同　题宋徽宗画鹰

沧桑看云 ··· 323
   罗敦曧　香山雨香岩杂诗

不负初心 ··· 325

秋瑾　梅(十首选一)
美的发现 …………………………………… 327
　　郭六芳　舟还长沙
无情泪送有情人 …………………………… 329
　　苏曼殊　本事诗(十首选一)
金碑银碑不如民众口碑 …………………… 331
　　邹鲁　题武侯祠

明代

曲外

山泉人格化

五折泉

宋濂①

一汲复一汲,有步若云梯。
终然投东意,万折不肯西。

宋濂曾在浙江浦江精舍教书授徒。其间常带领友生去玄鹿山游览风景,体验自然风光的意趣,也留下了不少优美的诗文。这首诗便是在欣赏五折泉(以泉流多次曲折而得名)后写下的。诗前缀言:"予不作诗者十年,近寻芳至玄鹿山,左泉右石,争献奇秀。疑山灵欲钩致奇句,故使人情思烨然也。因赋诗八章,用玄(黑)漆书诸崖石。"

诗的前两句是写景,展现泉路的行进艰难——泉流一路曲曲折折,像是有人在前面汲引着,远远望去,有一种步上云梯的感觉。后两句是议论。写泉流的坚定意志——尽管前路曲折艰难,但"投东"的信念已决,纵使万转千折,亦不肯流向西方。短短十个字,以斩钉截铁的笔力,戛然而结,写得确实精彩。难怪诗人要说,"疑山灵欲

---

① 宋濂(1310—1381),元至正年间,曾授翰林院编修,以亲老辞不就。明开国后,因擅文学而受知于太祖。博学多闻,著述甚丰,被誉为明代"开国文臣之首"。

钩致奇句,故使人情思烨然也。"

诗人借助自然景象,暗喻自己百折不回的坚韧性格和励志苦学的顽强毅力,寄寓社会人生哲理,虽未挥洒更多笔墨,却能尽见心曲、情怀。为了加深对本诗的理解,我们可以参看诗人《送东阳马生序》中的这段话:"余幼时即嗜学。家贫无以致书以观,每假借于藏书之家,手自笔录,计日以还。天大寒,砚冰坚,手指不可屈伸,弗之怠。录毕走送之,不敢稍逾约。以是,人多以书假余,余因得遍观群书。……当余之从师也,负箧曳屣行深山巨谷中,穷冬烈风,大雪深数尺,足肤皲裂而不知。至舍,四肢僵劲不能动,媵人(侍婢)持汤沃灌,以衾拥覆,久而乃和。"人格化的五折泉,正是这种顽强拼搏精神的意象化。

有用与无用

春蚕

刘基[①]

可笑春蚕独苦辛,为谁成茧却焚身。
不如无用蜘蛛网,网尽蚍虫不畏人。

元初,著名学者郝经以"蚕"为题,写过一首七绝:"作茧方成便弃捐,可怜辛苦为谁寒?不如蛛腹长丝满,连结朱檐与画栏。"刘基的《春蚕》显然受到了郝诗的影响。

对比二诗,前两句或"笑"或"怜",都突出了蚕的终生苦辛与最后的焚身殒命,同样提出了"为谁"的问题,而刘诗更为冷峻。诗中说,这辛辛苦苦吐丝做茧的春蚕实在可笑,做成了茧子把自己裹在里面,不但没有得到什么报答,反而把命搭上了。"成茧却焚身",说的就是这种悲惨命运——皮蚕经过几次脱皮,身体便会通体透明,这时就不再吃食,开始吐丝、做茧。养蚕人为了抽出蚕丝,把蚕茧浸在热水里。"焚身",意为丧身,指蚕在热水中被煮死。

二诗的后两句,着眼点呈现出明显的差异。郝诗强调了蜘蛛结

[①] 刘基(1311—1375),字伯温。元至顺年间进士,后为明朝开国功臣,封诚意伯。由于遭到宰相胡惟庸谮毁,忧愤而死。其诗沉郁雄浑,多忧时悯世之作。

网于朱檐、画栏之间的悠然游哉,怡然自得;而刘诗却提出了意蕴丰盈、发人深省的全新话题:从蜘蛛的"网尽蜚虫不畏人",看出无用之为大用的深刻哲理。本诗说,看来,春蚕整天吐那有用的丝,真不如蜘蛛专织那没有用处的网,逮尽了飞虫,饱食终日,却一无顾忌,不担心遭人捕杀。

白居易"虫全性命缘无毒(意谓不能入药),木尽天年为不才",赵瓯北"木有文章原是病,石能言语果为灾"之句,阐发的都是无用可以全身,大用反能致祸的老庄思想。联系到朱元璋滥杀功臣,使许多人韬光养晦,不预世事,明哲保身,此诗当是针对时事有感而发。从这里,可以看出刘诗意蕴的超迈、深刻。事实上,如果不能胜出一筹,那么,只是重复前人,拾人牙慧,这样的诗完全可以不作。

名人效应

题《安石蒲葵图》

刘基

东山导骑出岩阿,能使枯蒲贵绮罗。
却恨卞和无禄位,中宵抱玉泪成河。

刘基写过许多题画诗,多数是撷取画面上的某一特征,作为由头,即兴发挥,抒怀写志。这首七绝,就是借助一幅描绘东晋政治家谢安(字安石)卖蒲扇的绘画,揭露当时只看重门第、地位,不重视人和物的实际价值的社会弊端。

首句写的是,谢安其时虽然隐居浙江上虞的东山,但因其举足轻重的地位和特殊的政治背景,出游时仍然威威赫赫,声势浩大,为下文做出铺垫。次句讲,谢安凭借他的高名重位,使枯蒲制作的普通葵扇,竟然比绫罗绸缎还要贵重得多。据《晋书》本传记载,谢安的一个同乡罢官归里,临行前到谢安处辞行。谢安关切地问询:回乡的盘缠是否准备妥当?同乡直言相告,手中并无盘缠,只有五万把蒲葵扇,打算卖掉后以充行资。谢安见状,便从中拿了一把,大力赞扬其精致实用。此事很快在坊间传开,市井百姓见谢安如此看重这种蒲扇,都争相购买,最终"京师士庶竞市,价增数倍"。同乡的五万把蒲扇,几日间便销售一空。

三、四两句,作者从谢安的飞扬气势,联想到卞和的悲凉处境、惨痛遭遇。相传春秋时楚国的卞和,得到一块璞玉,先后献给楚厉王和楚武王,都被认为欺诈,砍去其左右脚。文王即位后,卞和在荆山下抱璞痛哭,文王派人剖琢,果得宝玉,价值连城。由于没有社会地位,卞和虽然怀瑾握瑜,却不仅不被看重,反而惨遭刑戮,只有抱恨长泣。

作者巧妙地把这两个寓意深刻的故事串联在一起,写成一首富有哲理的题画诗。

纯乎天籁

山雨

偰逊①

一夜山中雨,林端风怒号。
不知溪水长,只觉钓船高。

　　作者借助钓船上的切身感受,书写一场山中骤雨前前后后的心路历程。罢钓归来,已经夜幕四合,一切都陷入黑暗的氛围里,只听得两岸长林风吼,霎时暴雨倾盆,铺天盖地,令人心惊魄动。虽然一切都隐伏在暗夜之中,什么也见不到,但是,能够觉得出来钓船在渐渐上浮,说明溪流仍在不停地上涨。

　　《明诗别裁》收录此诗时,有"纯乎天籁"的评语。就诗论诗而言,这首即事写怀的小诗,情态逼真,语调明快,不假雕饰,纯乎自然之趣,兼具哲理意蕴。但是,如果联系到诗人的身世和成诗的背景,就会发现其中还隐含着一种深沉的家国情怀,只是限于当时的处境,写得十分含蓄、隐晦。

　　作为入居中原的西域高昌偰氏后裔,偰逊一家先是迁入江南,后

---

① 偰逊(1319—1360),维吾尔族。元、明之际诗人。元顺帝至正年间进士。《明诗综》说他"避兵东下,寓居高丽,有《近思斋逸稿》传世"。

转北方在朝廷任职。偰逊因其父与丞相结怨,被外放,寓居热河平泉,为避战祸,又流寓高丽。这样的经历,使得他的诗作隐含着内心的凄凉苦寂;思乡怀土、忧虑时局的意蕴,时现笔端。其纪梦诗,有"梦中犹昨日,觉后是他乡。万死心如铁,三年鬓已苍。生还倘能遂,甘老校书郎"之句。

　　本诗中的疾风骤雨,林吼溪鸣,身处跌宕起伏的危舟,时有倾覆之虞,显然带有某种象征性,寄寓了深沉的悲慨。

长于知人　短于虑己

读史二首（选一）

高启①

不握兵权只坐筹,苦辞万户乞封留。
纵令不早寻仙去,天子终无赐醢谋。

　　这是一首比较典型的咏史诗。诗中所吟咏的对象,是西汉的重要谋臣张良。

　　诗中开头两句,分别叙写张良的超人智慧。第一句说,张良安坐于军营之中,出谋划策,料理军机,所谓运筹帷幄之中,决胜千里之外。由于他并不手握兵权,因而形成不了对于刘氏"家天下"的实质性威胁;第二句说,他的识见高超,为了不致引起刘邦的警惕与戒备,坚决谢绝高祖封赐齐地三万户的厚赏,只愿受封于留县。这里地处刘邦故里沛县东南,地方很小,而且处在天子的眼皮底下。三、四两句做出结论:即便是张良没有识机在先,借着寻仙之名,辞官退隐,刘邦也不会启动杀机,把他剁成肉酱的。菹醢,古代一种酷刑,把人剁成肉酱。

---

① 高启(1336—1374),字季迪,自号青丘子。长洲(今江苏苏州)人。诗风清新超拔,为明代成就最高的诗人之一。

在这里,诗人以"赐醢谋"为媒介,巧妙地引出另一重要功臣彭越,以之作为张良的衬托。两人同样功勋卓著,结局却大不相同。张良一生只是运筹谋划,不握兵权,满足于一小块封地,一心想要成仙,最终得以全身远祸;而手握兵权的彭越,曾协助刘邦剪除项羽,后有人告发他谋反,结果被斩首并剁成肉酱,遍赐诸侯。

诗人洞悉历史,深谙封建政治底蕴,但明于知人,而暗于谋己。他处身元、明交替时期,竭力远官避祸;但由于对现实深感不满,终以讥讽时政和涉及其他罪案,惨遭杀害。

通过研读这首诗,我们可以领悟咏史诗的写作手法:基本上都是直接以历史人物、历史事件为吟咏题材,然后借题发挥,寄托作者的思想感情,发表见解。咏史诗属于艺术创作,它有别于一般的历史纪事,诗人应在有限的篇幅中,以立意为宗,用形象的语言阐明深邃的道理;或讽喻现实,或抒写怀抱,着语不多而含蕴颇深,把形象思维与逻辑思维完美地结合起来,形成一种新的边缘艺术。高启正是这样做的。

诗人兴寄费猜评

叹庭树

高启

偶移弱质傍庭皋,风露离离已便高。
翻笑园中栽树者,十年犹未出蓬蒿。

咏物诗的特点,往往是所咏之物只是一种凭借,而诗人另有寄托,所谓"兴发于此而义归于彼"。那么,这个"彼"究竟为何,有时就颇费疑猜。本诗也遇到了这种情况。

一种意见是,从《叹庭树》这个题目看,诗人所着意的是庭树——表达对庭树的观感、态度。这样,就应作如下解读:主人尽心竭力地将柔弱的幼树从蓬蒿中移出,把它栽在庭院水池旁边,"十年树木",于今已离离高耸,叶茂枝繁。可是,这棵树却完全忘记主人的培育之恩,反而耻笑栽树者没有出息,十年过去了,依旧没身草莱之中。这样,诗的主旨便是指树骂人,对忘恩负义之辈,予以尖锐的讽刺与鞭笞。

而另一种意见却是,诗人并非以人拟树、借树骂人,其着眼点在于抨击不合理的社会现实。这样,本诗就应解读为:幼树长得很快,十年就成了栋梁之材。"风露离离已便高",说的是,在大自然的风露吹拂、滋润之下,幼树迅速成长起来。"离离",枝叶繁茂之状。可是反转过来,令人苦笑的是,栽树的主人却依旧没身蓬蒿,未得出人头地,二者形成巨大的反差。这是以庭树为话语由头,对于不合理的社会现实加以揭露与挞伐,对"栽树者"怀才不遇,困守蓬茅,寄予深切的同情。说是"翻笑",实则笑中含泪,于调侃中发出不平之鸣。宋人晁咏之有"当时鸡犬皆霄汉,自是刘郎不得仙"之句,与此为同一机杼。刘郎,即西汉的淮南王刘安。刘安笃好神仙黄白之术,宾客甚众,有所谓"八公"聚相炼丹,丹药方成,刘安因被告谋反,畏罪自杀。传说,武帝派人前往捕解,刘安等携手升天,余药鸡犬啄食亦随之升天。宋人诗调侃说,鸡犬都上天了,刘安却惧罪自杀,未得成仙。

两种读法开列出来,供读者辨识。

惧祸心态

咏白头翁

王恭①

竹下棠梨花渐稀,白头相对语依依。
五陵年少多金弹,莫恋残春忘却飞。

诗中开头先描绘一幅画:修竹之下,棠梨花期刚过,两只头上带有白色枕环的小鸟("白头翁")俏立枝头,相对鸣啭着,显得和谐亲热,十分可爱。诗人深情地嘱咐说:你们生性活泼,不怎么怕人,经常在灌木丛中穿枝跳跃。应该知道,那些贵公子哥("五陵年少")手里可都持有弹弓,金弹多着哩,千万不要贪恋即将逝去的春光,而忘却高飞远引啊!

联系到诗人的另一首七绝《春雁》:"春风一夜到衡阳,楚水燕山万里长。莫道春来便归去,江南虽好是他乡。"读者不禁要问:面对佳丽的江南春色,无意留连,却急着要飞回环境相对很差的燕北的故土,究竟是为什么?两首诗,一个说"莫恋残春",一个说"春来便归去",究竟用意何在?诗人全都用隐喻的手法,吞吞吐吐,"欲说

---

① 王恭(1354—?),号皆山樵者。永乐初,以儒士荐,起授翰林典籍,行年六十,参与修纂《永乐大典》。事毕,即辞官归里。

还休"。

可分三层予以解读：

其一，这两首诗，无论是写高空的大雁，还是写枝头的小鸟，都是着眼于写人，而且是作者自喻。

其二，"多金弹"，"莫恋春"，"江南虽好是他乡"，都是一种提示——要认清形势，警惕危机，提防祸患。既然是写人，又是作者自喻，那么，就要分析一下他当时所处的形势。诗人出生于元代末年，入明已经是十五岁了，对于朱元璋剪除功臣和永乐帝"靖难之役"以及设立锦衣卫，刺探臣民隐事等，即便未曾亲历，也都早有耳闻，自然会知所惕惧，正所谓"不寒而栗"。这从他的七绝《题张良归山图》和五古《经友人故宅》中，可一见端倪。五古诗中有"策马孤城下，经过泪满襟"，"谁知山阳笛，恻怆犹至今"之句。魏晋时，向秀与嵇康、吕安友善，嵇、吕被司马昭杀害后，向秀过其山阳故居，闻笛，因而感怀故友，作《思旧赋》。

其三，壮年时节，诗人曾长期樵隐，抱有深厚的怀乡恋土之情。由此，一俟纂修《永乐大典》事毕，便立刻弃职还乡，隐居不出。

鹦鹉能言的下场

鹦鹉

方孝孺[①]

幽禽兀自啭佳音,玉立雕笼万里心。
只为从前解言语,半生不得在山林。

在这首咏物诗中,作者把鹦鹉作为主旨与形象的载体,说它声声鸣啭,悦耳动听,亭亭玉立在雕刻精致的鸟笼里,心中却想望着笼外的万里长空。只因为从前它懂得言语,善于学人说话,最后落得个锁在笼中被人玩赏的下场,再也回不到自由自在的山林了。

诗人抓住鹦鹉的这些典型特征,贴切逼真地着意描摹,并且找到与所寄情怀的切合点,由物及人,由实到虚,写出所要表达的思想意向。

本诗蕴涵深刻而丰富,起码可以从两个方面作深入的探究:

一是,着眼于"只为从前解言语"。"解言语"可以延伸到聪明巧慧,具有可用之才。《庄子·列御寇》篇有言:"巧者劳而知者忧,无能者无所求。饱食而遨游,泛若不系之舟"。意思是:有技巧的人劳

[①] 方孝孺(1357—1402),人称正学先生。明建文年间任侍讲学士,燕王兵入京师,命草即位诏,不从,被杀。文章纵横豪放,著有《逊志斋集》。

累,聪明的人忧虑,没有本事的人没有追求,吃饱了四处闲逛,就像没有被固定的小船,消闲自在。这是侧重在有为、无为方面。

二是,再延伸一步,从"半生不得在山林"方面解读。说,鹦鹉"玉立雕笼"之中,确无艰危、冻馁之虞,但是,为此而付出了失去自由的沉重代价——这自然是不值得的。同样也是侧重于得失方面,白居易有咏《洞中蝙蝠》一诗:"千年鼠化白蝙蝠,黑洞深藏避网罗。远害全身诚得计,一生幽暗又如何?"即便是保全了性命,却是以"一生幽暗"为代价,又有什么意思呢!

诗人真是奇思巧运,妙绪无穷。也是从"解言语"的角度,在鹦鹉身上做文章,齐白石老人却是独出心裁,另辟蹊径,而绝不蹈袭前人。他写过一首题《樊笼八哥》画的七绝:"鹦鹉能言命自乖,樊笼无意早安排。不须四面张罗网,自有甜言哄下来。"下面有个小跋:"谚云:能巧言者,鸟在树上能哄得下来。"画家借助鹦鹉形象与诗文,讽刺社会上有些人自恃巧舌如簧、能说会道,以致为人所用,陷身樊笼;有些人则是缺乏应有的警觉,为甜言蜜语所迷惑,结果自投罗网;同时也警告世人:旧社会罗网四布,人心惟危,如不多加防范,就会误入花言巧语的圈套。一首字数不多的小诗,竟然包含着如此丰赡的意蕴,引发人们从多个角度进行解读,既显现了这位孤标特立的老画家的高深文学造诣,同时也揭示出中国古典诗歌的独特魅力。

本分之言

山中见牡丹

李昌祺[①]

不嫌恶雨并乖风,且共山花作伴红。
纵在五侯池馆里,可能春去不成空?

作为咏物诗,本诗具备两个突出的特点:一是小中见大,二是由物及人。一株生长在山野中的牡丹,本来无关紧要,可是,诗人却要以它为喻体,借以谈论人的命运抉择这一特大的问题。所谓命运,是指人的生命主体与其赖以存在的环境在相互作用中所形成的生存状态与生命历程。那么,下面就看看诗人是怎样通过花的意象来揭示这个哲理性很强的问题。

诗的大意是,山野中的牡丹,不嫌厌、不在乎极度反常的疾风暴雨,和那些普普通通的山花为伴,开得红红火火,显示出旺盛的生命力。可贵的是,面对那种恶劣、僻塞、平淡的环境,能够保持本色,坚守自性。它这样做,完全对了。应该想到,即使换个理想的环境,有

---

① 李昌祺(1376—1453),永乐年间进士,曾参加修纂《永乐大典》。一生刚直清廉,致仕后,家居二十余年,不近官府,住所仅蔽风雨,有诗云:"闲身到处贫无物,只有唐人几卷诗。"

幸得以在王侯权贵的池馆里娇生惯养，难道还不是春天一去，照样转眼成空吗？

诗人通过山中牡丹这种意象性的主体，阐明他的一种处世原则与生活态度：不忮（不嫉妒）不求（不贪婪），安贫处贱，甘于寂寞，恪守本分。而有些人却不是这样，他们趋炎附势，贪恋浮华，结局是一朝破败，万有皆空。这里涉及人生命运抉择亦即生命主体如何认识与对待客观环境的重大问题，诗人却以简短的四句诗，形象、生动地表述出来，手法十分高妙。

诗中有讽喻，有寄托，语意冷隽，寄慨遥深。

识机在先

舞阳留侯庙(二首选一)

李昌祺

信族豨夷越醢躬,太平无复用英雄。
高皇却堕先生计,世上何曾有赤松?

　　作者曾在今河南任职,到过当时南阳所属的舞阳,参谒汉留侯张良祠庙,心有所感,遂书写咏史诗两首,此为第一首。
　　本诗中涉及六位历史人物。在刘邦(高皇)看来,那些血战沙场的创业豪杰,在天下太平之际,已无所用,而且还有篡夺刘氏江山的危险,于是,诛杀功臣韩信(并夷灭三族)、陈豨、彭越(俎醢,肢体被剁成肉酱)等。足智多谋、识机在先的张良,看透了个中机锋,便在功成之后,假托从仙人赤松子游,达到全身远祸的目的;作者说,结果,刘邦中了张良的脱身之计——世上哪有什么"赤松子"啊?
　　与李昌祺同时而略早的诗人王恭,也有一首《题张良归山图》:"抽却朝簪别汉家,赤松相候在烟霞。如今悟得全身计,不似从前博浪沙。"张良年轻时,曾经使力士操铁锤,在秦之阳武故城南博浪沙这个地方,狙击秦始皇,结果却误中副车。王恭说,张良看清了君王的本质,在夙志得遂之后,急寻全身之计,这和当年那种拚死冒险立

明　代　｜　21

功的用心自不相同了。这就联系到李昌祺《舞阳留侯庙》的另一首七绝："人心变幻几千般，带砺盟深亦易寒。秦网逃来逃汉网，谁将此意语萧韩？""带砺盟深"，典出《史记·高祖功臣侯者年表》，意为像山河带砺一样永远结盟，无论发生什么变故也决不更改。实际上，封建时代君臣之间根本不存在什么永久性的真诚的合作，一切都以利害的计算为转移。

李、王二人都曾参与修纂《永乐大典》，尔后，又都先后致仕还乡，思想有相通的方面。特别是李氏，早年及第，身居翰院、礼部，曾经热衷于功名仕进，认为"名"是人生价值体现的核心。中年两度遭受罚役、两度外放，仕途坎坷，逆境中咀嚼自身苦楚，回思宦海浮沉、世态炎凉，以及君臣关系的凶险莫测，对于老庄思想有了深刻的悟解。致仕家居，作诗词、小说以自娱，彻底跳出了官场。

与这种"功成受戮"的情况相对应，历史上还有一种类型，就是"世乱罹灾"——遭逢乱世，仕途险恶，许多贤能之士不但无法充分施展才智，反而命同"池鱼"，殒身被祸。于是，为韬光养晦计，像《庄子·骈拇》篇所说的："今世之仁人，蒿目而忧世之患"，索性闭门隐居，或者虽然入仕，但"坐啸画诺"，应付差事，装作庸庸碌碌的样子。春秋时代卫国大夫宁俞（谥号为"武"）是其中典型的一位。孔子赞扬说："宁武子，邦有道则知（智），邦无道则愚。其知可及也，其愚不可及也。"（《论语·公冶长》）说的是，宁武子在天下太平、国家大治之时，便彰显聪明，充分展示自己的聪明才智；而当时危世乱之际，便装愚作傻，藏锋不露。他那种彰显聪明，别人可以赶得上；而那种韬光养晦，别人就难以得及了。这也就是后世所说的"难得糊涂"吧？

咬得菜根　百事可做

题画菜

于谦①

青紫均沾雨露恩，一团生意淡中存。
食前方丈傥来物，大节还须咬菜根！

诗人借题画以自励。头两句为叙写，说菜蔬无分高下、贵贱，都同沾化雨甘露；它们的一团生气充分体现在淡泊之中。后两句是议论，先说为仕不该追求过高、过分的享受；接着从更高的层次上讲，要做到大节不亏，就必须耐得清贫，廉洁自守。

"食前方丈"，语出《孟子》，意为各种美味佳肴都罗列桌前。"方丈"，一丈见方的地方。"傥来物"，偶然而来、无意而得的东西。"大节"，指关系到国家存亡、民族安危的节操，这里含有富贵不淫、贫贱不移的意蕴。宋代学者汪革有言："人能咬得菜根，则百事可做。"元朝名臣吕思诚，为官清廉，不与俗流合污，曾以诗明志，有"任他势利多更变，自掩柴扉咬菜根"之句。汪、吕二则故实，应是于谦诗中"咬

---

① 于谦（1398—1457），明永乐年间进士，著名清官。官居巡抚十九年，除弊政，平冤狱，得民心。在任兵部左侍郎时，值蒙古族瓦剌入侵，明英宗被俘，他议立景帝，固守北京，击退瓦剌；后来英宗复辟，以所谓"谋逆罪"将他杀害。诗风朴实刚劲，真切感人。

菜根"之所本。

  在这首题画诗里,诗人为我们变了两个戏法:一个是化分为合——画是视觉艺术,诗是语言艺术,一为有形,一为无形,二者原是互分畛域的;可是,在这首题画诗里,二者却巧妙地结合在一起,使画意与诗情,互补互鉴,相映生辉,最大限度地发挥出艺术的烘托作用。再一个是化无为有——红紫纷呈的菜蔬,是画中之景;而"食前方丈",却是画外之景,是不在场的"虚无",诗人拉出它来,与画中可见的存有"一团生意"的蔬菜进行比较,最终得出"大节还须咬菜根"这一敲金戛玉般的结论。

功成身退

偶题(三首选一)

于谦

日落风欲静,鸟啼人自闲。
白云如解事,成雨便归山。

在这首即景抒怀的诗中,先是写景,渲染一种恬静、闲适、安然的氛围;然后再抒怀,通过白云化雨之后便主动归山这种意象,抒写作者功成身退、不居功、不恋栈的意愿。"白云如解事",是拟人化写法。其中的"如"字,作"像是"解释;当然,从字词结构上看,若是作"如果"解释,也能说得通——那就成了:白云如果很懂事的话,就应该在化作甘霖时雨之后立刻归山。这里的"解事",属于拟人写法。"事",含有事物发展规律的内涵。

晚风,落日,啼鸟,归云,都在这个情怀恬淡、意态闲适的幽人的视觉、听觉之中。物我合一,情景交融,思与境谐,本身又是一幅饱含意蕴、逸趣盎然的风景画。

作者还有一首题为《孤云》的七绝:"孤云出岫本无心,顷刻翻成万里阴。大地苍生被甘泽,成功依旧入山林。"寄托了兼济天下、泽被苍生的社会责任感与功成身退、知几在先的高远境界,与此五绝同一意旨,均为悟道之言。

  于谦一再表达功成身退的意愿,说明他对于当时社会的变迁、时局的危机、宫廷斗争的残酷、权奸阉宦的险恶,并非没有清醒、明智的认识。但是,形格势禁,迥不由人,最后竟然遭致惨痛的悲剧结局,适与愿违。这除了无意中陷入太后、英宗、景帝之间错综复杂的矛盾旋涡之中而不能自拔,加上奸臣的诬蔑、排挤、陷害之外;从主观上讲,忠君报国、心存社稷的坚定信念,功高盖世的特殊地位,以及刚直不阿、宁折不弯的个性,也是酿成这场人间悲剧的重要因素。

春 之 歌

除夜太原寒甚

于谦

寄语天涯客,清寒底用愁?
春风来不远,只在屋东头。

此为作者在明英宗正统初年任山西巡抚时所作。

一般人离家在外,面对北地奇寒的数九隆冬,恰又赶上除夕年夜,心境难免孤寂、萧索;但作为地方行政长官的于谦,怀着以身许国的献身精神,尽管他生长在风光旖旎的锦绣江南(杭州),却能于冰天雪地中,以开阔的视野、旷达的胸襟,看到春天的踪迹,并且用来安慰包括军政人员在内的天涯客子,劝说大家不必为清寒阴冷犯愁,春风已经不远,就在屋舍东头。反映出作者自甘清苦、乐观向上的精神状态。

英国著名诗人雪莱写过这样的名句:"冬天来了,春天还会远吗?"于谦的"除夜太原寒甚"的诗题和"春风来不远,只在屋东头"的诗句,正是含蕴着同样的哲理。除夜过后,就是新年,春天随之而至。诗中除了昭示"每于寒尽觉春生"的自然规律;同时,还形象地提醒人们:像寒冷的天气不会长久一样,困难也只是暂时的,应该振奋精神,看到困难后的光明前景。"清寒底(何)用愁",道理就在这里。

　　于谦的这首短诗,堪称是春风的颂歌。唐代擅长描写穷愁羁旅生活的诗人来鹄,有一首七绝:"事关休戚已成空,万里相思一夜中。愁到晓鸡声绝后,又将憔悴见春风。"诗同样以"除夜"为题,同样写到了春风,却是另一种心态:由于春风的吹来,意味着又一个穷愁羁旅之年的开始,更浓化了思亲怀土之情,因而对于春风怀有一种无奈与恐惧之感。两诗相较,境界截然不同。

以逸待劳

信天翁

兰廷瑞①

荷钱荇带绿江空,唼鲤含鲨浅草中。
波上鱼鹰贪未饱,何曾饿死信天翁。

在这首饶有韵味的七绝中,作者托物寄兴,以隐喻的方式阐明深刻的哲思理蕴。

本诗最早见于明代著名学者杨慎《丹铅余录》。杨慎贬谪云南后,曾到嵩明县兰廷瑞家中访察,准备搜集一些诗稿。其时,兰氏兄弟都已故去多年。杨慎录下了兰廷瑞的多篇诗作,并在《信天翁》一诗后加注:"亦可以为讽也。"

关于信天翁,宋·楼钥在文章中曾谈道:"水禽有名信天翁者,食鱼而不能捕,兀立沙上,俟他禽偶坠鱼于前,乃拾之,然未闻有饿死者。"兰诗所云,应本此。

诗一开头,描写荷叶初生,圆如小钱,荇草像飘带一样漂浮水上;鲤、鲨等各类游鱼戏游水草丛中。描写这些,只是做个陪衬,核心角

---

① 兰廷瑞,隐逸诗人。大约生活于永乐至正统年间。其胞兄兰廷秀为医药学家、音韵学家、诗人。

色是后面的两种水鸟:一种是整天在水波中忙于捕鱼的鱼鹰。鱼鹰,名为鸬鹚,嘴扁而长,善于捕鱼,喉下的皮肤扩成囊状。渔民饲养在船上,系以脖套,因而它只能捕鱼却无法吞食,就是说,贪得无厌,却难求一饱;另一种水鸟,是在一旁悠然等食的信天翁,食鱼而不能捕,专等鱼鹰所得而偶坠者食之,倒也饿不着。以逸待劳,反易饱腹。

现在,我们就来探讨一下,杨慎所说的"可以为讽"的确切含义。就诗的内在蕴涵来说,恐怕不外乎下述三个方面:一是为劳者不获、不劳者反而坐享其成这种悖理不公现象鸣不平;二是暗含着贪得无厌者得不到,只求一饱者反而可以饱腹的机锋;三是阐发一种生活见解:"巧者劳而智者忧,无能者无所求,饱食而遨游"(语出《庄子》),含有"为谁辛苦为谁忙"的意蕴。也许还有其他意蕴,读者不妨驰骋遐思。

纸上桃源

桃源图

沈周[①]

啼饥儿女正连村,况有催租吏打门。
一夜老夫眠不得,起来寻纸画桃源。

作为美好理想的现实化,作为自由平等的社会、安宁富庶的家园的一种虚拟的典型,"桃花源"的意象一经面世,便成了千千万万人憧憬、向往、追逐的所在,更是历代诗人、画手驰骋才思、寄托心志的一个原型母题。画家沈周也不甘人后,不仅绘制了《桃源图》的画面,同时,还在上面题写了一首十分别致的七绝。

说它"别致",是鉴于本诗的构想比较奇特,可以"逆向切入"四字概之。名曰《桃源图》,诗中却没有一个字提及那里的仙乡胜境,触目可及的竟然全是现实中的污浊、动乱、苦难。

首句说,年饥岁馑,兵荒马乱,啼饥号寒、孤苦无告的人很多很多,简直是哀鸿遍野,村村相连。次句加深一层,说光有饥荒还不算,随之而来的是催租逼债的人一阵阵地敲门索要,更是雪上加霜,难以

[①] 沈周(1427—1509),身历七朝,终身不仕。博学多才,以擅画闻名当世,与唐寅、文徵明、仇英并称"明四家";亦工诗,抒写性情,牢笼物态。

应对。第三句说，这样一来，弄得我整整一夜睡不成觉。言下之意是，我之所以夜不成寐，固然是由于外部环境的喧嚣吵闹，但更主要的还是因为愁苦盈怀，以及对于饥寒交迫的贫苦民众的忧虑与同情。第四句为全诗题旨所在，诗境陡然一转，由灾难深重的现实生活，转入画图中的虚幻世界——眼前别有洞天，令人眼睛唰地一亮。由于现实环境动乱、恶浊，又缺少回天驭日之力加以改变，那么，这位画家诗人只好寄希望于世外仙乡了。这样，《桃源图》便诞生了。

不要说这种纯粹属于"嘴上会气"的纸上桃源，即便是历史上由哲学家或天才诗人精心设计出来的"乌托邦"、理想国，又有哪个真正能够走出天国、植根大地呢？这是一个永远令人向往、也永远有待实现的梦幻。应该说，它的价值，不在于能否付诸实现，而在于它作为现实的对立物，具有一种对于残酷现实的批判意义。这也正是本诗的特殊作用。

就诗论诗，《桃源图》也堪称精妙：意在言外，具见匠心，运思奇巧，耐人寻味。我曾写过一篇《画家多擅诗文》的随笔，谈到画艺与诗文表面上看，一属造型艺术、空间艺术，一属音律艺术或时间艺术，一重形象，强调可见性，一关注情意，重视可感性，二者似乎歧途分向，不相兼容；实际上，就画家与诗人的艺术个性、创作追求来说，他们都是志在创新，"须教自我胸中出，切忌随人脚后行"，强调突破成规，独辟蹊径。诗文书画兼通，在中国古代原属常见现象，整个士子阶层，也包括专精绘事的画家，无一人不懂诗文，无一日不说诗文，无一画不入诗文，形成了画必题诗、诗画一体的特有现象。而从艺术规律看，诗画更是同源共生，若合一契。画家平时作画，讲究驱遣意象，写起文章来，同样也需要随处点染，幻成一片化境。中国画历来主张"迁想妙得""传神写照"，贵在神似，所谓"意足不求颜色似"，而不取简单模拟物象的做法。这和诗文创作是完全相通的。北宋哲学家邵雍有言："画笔能使物无遁形，诗笔能使物无遁情。"掌握了绘画艺术，诗文创作如虎添翼；反之亦然。

春自冬来

题画

庄昶[①]

老眼江山处处新,雪中天地更精神。
旁人岂识尧夫意,未有深冬未有春。

  既然说是题画,那么,作者"老眼"(阅尽世事沧桑的老人之眼)所见、笔下所记的,当然就是画面的场景:皑皑白雪笼罩下的山河大地,平畴千里,处处皆新,而雪中丽景,"山舞银蛇,原驰蜡象",自然更是精神抖擞,别具丰神。这不禁令人记起王羲之的"群籁虽参差,适我无非新"的妙句。不过,在庄老夫子心目中,更看重的还是北宋理学家邵尧夫的《岁寒吟》,诗曰:"松柏入冬青,方能见岁寒。声须风里听,色更雪中看。"之所以如此,是因为作者要作岁寒与老境的文章。这样,他对邵尧夫的诗句就别有会心——没有深冬雪虐风饕的奇寒磨砺,就不会有阳春姹紫嫣红的似锦繁华。诗中饱蕴着丰富的哲思理蕴。接下来,我就想吟诵英国诗人雪莱《西风颂》中的名句:"昏沉的大地吹奏!哦,风啊,如果冬天来了,春天还会远吗?"

[①] 庄昶(1436—1498),明成化年间进士。喜欢在诗中讲道,为明代中期"性气诗派"的代表诗人。

从这个意义说,这首题画诗,倒是可以看作一曲寒冬的颂歌;但实质上,它的着眼点却在于探索人生境况,述说生命体验。以寒冬为喻,意在形象地讲述人在老年的特殊价值。犹如非经寒冬的磨砺,春天便不能如期到来一样,人生新一代的成长,也有赖于岁月的历练和识途老马的栽培。诗的前两句,就寓有如下意蕴:老年人不该叹老嗟衰,晚年时节同样可以有所作为,因而应该振作精神,保持良好心态,实现"老眼江山处处新"。

简 更 难

柯敬仲墨竹二绝(选一)

李东阳[①]

莫将画竹论难易,刚道繁难简更难。
君看萧萧只数叶,满堂风雨不胜寒。

诗人所题画页,为元代著名书画家柯敬仲(名九思)的作品。诗中所探讨的不是一般的墨竹绘画技巧,而是"以少少许胜多多许"这一具有普遍性的艺术辩证法,体现了作者崇尚简约的美学观点与审美取向。

诗中以议论开局,说画竹究竟是难是易,这不能一概而论,我倒要说,画得复杂固然不易,但更难的还是画得简约。应该说,诗人此论,抓住了文人画美学趣向的精髓。接下来,切入本题,也是给前面的议论提出佐证,说且以柯敬仲的墨竹为例,看上去只是萧萧数叶,简约得很,可是,却给人一种满堂风雨,寒气侵人,冷得简直让人受不住的感觉,形象地展示出画艺超拔、难以企及的美学境界。

苏东坡针对当时流行的繁琐求全、节节具足、追求形似的画风,

[①] 李东阳(1447—1516),明英宗天顺年间进士。以宰相地位主持文坛多年,影响颇大,形成了以他为首的"茶陵诗派"。其诗被誉为"出入宋元,溯流唐代"。

在《文与可画筼筜谷偃竹记》一文中尖锐地指出:"今画者乃节节而为之,叶叶而累之,岂复有竹乎！故画竹必先得成竹于胸中,执笔熟视,乃见其所欲画者,急起从之,振笔直遂,以追其所见,如兔起鹘落,少纵则逝矣。"李东阳关于柯氏墨竹"萧萧只数叶""风雨不胜寒"的描述,与此说完全暗合。

  诗中蕴涵深刻的哲理,却并非直接说教,而是通过形象加以点化,将哲思、画理寓于意象之中。全诗堪称是一篇形象森然、议论风生的简约画论。

报国无门的悲哀

画马四绝(选一)

李东阳

野花开尽紫骝嘶,老树风高落日低。
十载沙场无一战,老来林下啮霜蹄。

"立象以尽意",是我国传统文学中特有的一种思维方式与表现手法。在这种反映模式下出现的文学意象,代表了古代文人特定的文化心理、人生观念、价值取向与情感特征。而由于马在我国古代传统社会生活中的重要作用,自然引起了诗人、作家的特殊关注。作为文学意象,其寄意所在,往往与人才的际遇相关。从伯乐相马和郭隗"千金买马骨",到韩愈将人才比作千里马而为之大声疾呼,还有杜甫的"落日心犹壮,秋风病欲苏。古来存老马,不必取长途",李贺的"龙脊贴连钱,银蹄白踏烟。无人织锦韂,谁为铸金鞭",都是最典型的范例。

本首题画诗,同样是为一匹老马写照。诗中首先渲染了一种落日低沉,秋老风高,野花开尽的苍凉气氛。在这个衬景中,一匹紫骝良骏站在老树底下,时而临风嘶鸣,时而啮啃霜蹄,那种渴望驰骋疆场、万里骁腾,却因久无征战而困顿林丘的焦急、烦闷的神态,跃然纸上。

与此异曲同工,还有清代诗人汪琬的《舟中见猎犬有感》:"秋水芦花一片明,难同鹰隼共功名。樯边饭饱垂头睡,也似英雄髀肉生。"写猎犬饱食终日,无所事事,只得怏怏地蜷伏在桅杆边昏睡,以致全身虚胖,丧失了劲健体魄。见此情态,令人不免像当年刘备那样,兴起"髀里肉生(大腿上的肉长了起来)"的慨叹。

诗人画马也好,咏犬也好,都是着眼于写人,其主旨可用陆游的诗句"时平壮士无功老"来概括;以即物写怀手法,为那些空怀壮志,报国无门,英雄无用武之地的有志之士写照,读后令人顿兴悲凉之感。

平地风波

茶陵竹枝歌(十首选一)

李东阳

溪上春流乱石多,劝郎慎勿浪轻过。
莫道茶陵水清浅,年来平地亦风波。

　　作为朝廷命官,李东阳身居高位多年,平生只有三次机会离开翰林台阁,暂时走出京城。其中,成化八年随父省亲,回到了山清水秀的故乡——湖南东部的茶陵。十八天时间里,他获得机会接触社会底层民众,感受到朴实、生动的民风民情,大大拓展了胸襟、视野;最后,根据其亲身见闻和直接体验,以质实真切、清新自然的诗风,写出了十首《茶陵竹枝歌》。诗中摆脱了从前高扬圣德盛世的"台阁体"的格调,成为他的诗集中独具特色的佳什。

　　本诗是组歌中的第十首。首句写景,春天溪水漫涨,乱石密布,纵横交错;第二句以一个女郎的口吻,叮嘱所爱之人:过河时要谨慎留意,切勿掉以轻心。三、四句补足前面的未尽之意,进一步说明需要小心谨慎的原因——你可不要轻看这清浅的溪流,"年来平地亦风波",更何况其间是乱石纵横、险情莫测呢!

　　诗中凝结着作者深刻的社会人生体验——人在险恶的环境里,

心存戒惧,因而平安无事;而在平易的环境里,由于麻痹大意,反而容易出事。《太公兵法》载:"黄帝曰:'兢兢业业,日慎一日。人莫踬于山而踬于垤。'"山者高大,故人皆慎之;垤(小土丘)者微小,故人多易之也。

心神自扰

绝句

祝允明①

因名为利苦奔驰,换得身疼气似丝。
到此都寻参与术,名难将息利难医。

诗中说,堪笑愚顽的世人,争权夺势,追名逐利,营营役役,拼命奔驰,到头来换得个百病齐发,浑身疼痛,气弱如丝。到了这般时节,才想起来找医生,寻参术(人参、白术),吃补药,已经为时过晚了。须知,名缰利锁的束缚、侵害,对许多人来说,已经病入膏肓,即便是扁鹊重生、华佗再世,也没有回春之力。

之所以"名难将息利难医",根源在于病已入心,心灵受到本源性的伤害。庄子有言:"兵莫憯(同惨)于志,镆铘为下;寇莫大于阴阳,无所逃于天地之间,非阴阳贼之,心则使之也。"其意若曰:论杀人的兵器,没有比心意痴迷更锐利的,莫邪良剑还在其次;伤人没有甚于阴阳的,充满于天地之间。其实,并不是阴阳来伤害的,乃是人们心神自扰,而使自身受到伤害。心病的产生来自于心神自扰,源于

---

① 祝允明(1460—1526),号枝山。明弘治年间举人,曾官知县,后自免归养。工诗词,书法功力尤深,与文徵明、唐寅、徐祯卿并称"吴中四才子"。

自身的烦乱。

  作者写作这类诗章,虽云触兴而发,但都具有很强的现实针对性;而且,并非纯客观地讽喻世情、讥刺他人,其中饱含着一己的痛切体验,同时兼以自警,可说是用心良苦。他本人曾在偏远的广东兴宁做过一段知县,后来又出任应天府通判,穷乡僻壤、通都大邑的官场都很熟悉,阅世颇深,饱谙仕途的艰辛与险恶,这在他的《危机》一诗中做了充分的展露:"世途开步即危机,鱼解深潜鸟解飞。欲免虞罗惟一字,灵方千首不如归。""虞罗",泛指渔猎者设置的网罗。他说,要想逃脱官场"虞罗"的猎捕,"灵方"千万,最能奏效的就是挂冠归隐。出语警拔,发人深省。

故旧不遗

换弊袍

祝允明

暗弊犹存旧日青,十年同我走风尘。
今朝未忍将新换,恋恋贫交不似人。

诗人说,我这件袍子虽然已经很破旧了,但作为书生的服饰,依然保存着旧日"青衿"(青色衣领,一般用来代指读书士子)的本色。十年间,它陪同我奔走风尘,为我遮风蔽雨,我们之间已经有了深厚的感情。尽管今朝已经置备了新的袍服,可我还是不忍心将它换掉。唉!《史记·范雎列传》里"以绨袍恋恋,有故人之意"这句话(详细解说见前高适《咏史》),我始终记着。贫贱之交不能忘,我可不像其他人啊。

看得出来,诗人此作是含有双重意蕴的。其一,单就弊袍来说,中国古代读书士子对于它,怀有一种独特的情感。《论语·子罕》篇记载孔老夫子的话:"衣敝缊袍,与衣狐貉者立,而不耻者,其由也与(欤)!"自古以来,缊袍就是贫者之衣。仲由(子路)即便是穿得很破,但并不认为丢脸,人穷而志不穷,因而获得老师孔子的赞誉。也正是为此吧,后世许多诗人都有吟咏敝袍的诗句,翻出《全宋诗》,随手就能找到:"少年自与芳菲竞,莫笑衰翁拥弊袍"(欧阳修);"江山相引转平皋,满马诗情拥弊袍"(文同);"江上霜风透弊袍,区区无奈簿书劳"(陆游)。"弊袍不耻"这句成语,已经成为一种传统文化观念。

其二,在"弊袍"基础上,诗人又深入推进一层——视"弊袍"如"贫交",或者说,以"弊袍"喻"贫交","绨袍恋恋",故交不忘。

爱慕浮华,喜新厌旧,这是世间许多人的习惯心态;而诗人说自己有异于人("不似人")。从换弊袍这一生活琐事中,看得出他的崇尚节俭、固守清贫和"恋恋贫交"、"故旧不遗"的可贵品格。

虚舟无心

朴水渔舟

湛若水[①]

渔者乐水浅,鱼性乐水深。
渔鱼各有欲,虚舟本无心。

　　在我解读这首诗的时候,刚刚看过了沈从文的《湘行散记》,其中《鸭窠围的夜》一节中描绘的"水中的鱼与水面的渔人生存的搏战",以及作家回到舱中以后的思考,给我留下了深刻印象。文中所写的颇与本诗相似,那里也刻画了三种物事:鱼、渔者、船;所不同的是,诗中的鱼与渔者处于静态;船是空的("虚舟")。

　　我曾设想,完全可以使诗中的意象像散文中那样灵动起来。比如,通过拟人化手法,让"虚舟"具备知觉,以一位智慧老人的身份,在一旁冷眼观看水中的鱼与水面上的渔者之间"生存的搏战"——渔人为了捕到更多的鱼,以便到集市上买柴换米,便希望水能浅些再浅些;而鱼,面对这样艰危的处境,便想深藏渊底,隐匿踪迹,因而希望水能深些再深些。看着这种场景,"虚舟"老人心想:你们之所以

[①] 湛若水(1466—1560),哲学家、教育家、书法家。明弘治年间进士,嘉靖初官南京祭酒、礼部侍郎。少时师事陈献章,后与王守仁同时讲学,各立门户。

想望不同,心思各异,无非是因为各有打算,各有欲求;你看,我就不是那样,所以无需操心,也就无所用心。

这是一首具有多种喻体的哲理诗。本来,就是"诗无达诂",这类喻体而兼哲理的诗,更是可以有多种解读。记得前此曾看到青年学者湛柏欣的解语,令人一新耳目。他说,在诗中,"鱼"比喻独立于人的意识之外、未曾与人联系的自然存在物,可称为"自在之物","自在之物"存在的世界即"客观存在的物质世界";"渔"比喻被我们人类认识甚至改造的自然存在物,可称为"为我之物"。"为我之物"存在的世界,即受到人认识和改造的世界。作者要表达的是:如果没有人,没有人的认识和实践,这个世界就只有"自在之物",而没有"为我之物"了。由此可知,"心外无物"的"物",是指与人有联系的"为我之物",而非客观存在的"自在之物"。"虚舟"比喻天地,天地本来是"无心"的,是能够认识和改造自然的人,为天地立心。

厌弃空名

送钱元抑南归口号十首(选一)

文徵明①

高人元不爱高官,帝与官衔宠退闲。
添得空名将底用?批风抹月管青山。

嘉靖三年,作者的少时学友钱元抑,以鸿胪寺丞致仕回乡,皇帝以其主动辞官引退,尽管已不在位,但仍赐与一个官衔(即所谓"宠退闲")。作者写十首七绝为其送行,此为第五首。说的是,你不爱高官,原本是高人。皇帝赐与一个官衔,自含荣宠之意,但是,添得这个空名又有什么用处呢?看来,还是林泉高卧,每天吟风弄月、管领青山为好。

题诗赠友,实际也是作者借以言志,是他的心灵隐秘的真实展示。他在《送钱元抑南归》的另一首七绝里,表露得更为清楚:"少年同学晚同朝,一着输君去独高。落日黄尘回马处,满头衰发不堪搔。"

文徵明年轻时,即以书画诗文名世,但当时的志趣还是倾向登朝

---

① 文徵明(1470—1559),别号衡山。明正德末,以岁贡生荐试吏部,授翰林院待诏。人品为士林所重,诗文书画皆工,主吴中风雅之盟达三十余年。

入仕,二十七年间,先后九次赴考,全都名落孙山。后来经台省诸公举荐,以岁贡生身份就任翰林院待诏,虽然职位低下,为从九品,但政治地位很高,而他的才学与德行,尤为在朝同僚所推重。但是,在以出身论品位的官场,他也遭到一些人的嘲讽,有的竟当众凌辱他,说:"我衙门中不是画院,乃容画匠处此耶?"让他深感难堪。三年半的仕宦生涯,使他逐渐地看清了仕途的险恶,曾多次乞归,最后终于获准。出都时,他吟诗以谢诸友:"立马双桥日欲斜,沙尘吹雾暗征车。从今绝迹江南去,只见青山不见沙。"完全是一副摆脱束缚、重返自由天地的心理写照。

戏剧人生

子弟

文徵明

末郎旦女假为真,便说忠君与孝亲。
脱却戏衣还本相,里头不是外头人。

诗中说,男末女旦,粉墨登场,假戏真做,教忠教孝,演得惟妙惟肖,令观众为之感动。可是,一当脱掉戏装,洗净铅华,露出本来面目,就和所扮演的角色完全脱钩了,"里头人"的本相,与化装过的"外头人"完全两样。题中"子弟",指梨园子弟,年轻的戏子。"末""旦",为传统戏曲里的脚色行当。明、清戏曲中都有末,主要扮演中年男子;旦为女角。

这是一首讽喻诗,诗人借咏梨园子弟以讥讽社会上的假忠假孝、假仁假义的伪君子,有深刻的警世作用。扮戏云云,有狭义与泛指之分:狭义,特指作为专业的演戏。有些人台上演的是一套,台下做的又是一套。泛指,则是人生的社会角色。莎士比亚在剧作《皆大欢喜》中,曾借剧中人之口说:"全世界是一个舞台,所有的男人和女人都是演员。他们各有自己的进口和出口。一个人一生中扮演许多角色。"正所谓"人生如戏"。

人的一生所处的社会关系及其行为模式，决定了个人所扮演的社会角色。但是，这种社会角色终究与自身本色不同。文氏在其所处的历史时期，自觉或不自觉地扮演了文人、书画家、鉴赏家以至政客的社会角色，经常作为一个品牌或商标，活跃在社会多个层面上。但他极度重视个人名节，时时以儒家道德规范自律，他拒绝高价卖画，遇有怀重金往求者，他总是说："仆非画工，汝勿以此污我。"可是，有些人却不是这样，整天都在"演戏"，完全丢掉了自身本色。文氏愤世嫉俗，写此诗以刺之。

冷落秋花

旅馆题菊

唐寅[①]

黄花无主为谁容？冷落疏篱曲径中。
尽把金钱买脂粉，一生颜色付西风！

据作者自注，他在福建宁德县的旅馆住宿，见有画菊悬壁，愀然有感，因题此诗，借对秋菊无人赏识的叹惋，抒发自己遭逢不偶、有志难骋的悲愤。

诗的大意是，古语说，士为知己者死，女为悦己者容。可是，你这置身于冷僻无人的疏篱曲径之中的无主黄花，又究竟是为谁修饰容貌，为谁倩妆打扮呢？唉，你像那孤处空闺的绝代佳人一样，抛尽了金钱去买脂粉，可是，打扮来打扮去，即便是再漂亮，又有谁欣赏呢？只是把一生美貌付与那凄冷的秋风罢了！

题目是秋菊，实际上写的却是人。这个"人"，是美女吗？是，又不是。真正的对象，应该是诗人自己。诗人从"黄花无主"联想到自己怀才不遇、潦倒终生的凄苦处境，借题画来抒发其愤懑不平之气，

[①] 唐寅（1470—1523），字伯虎，号六如居士。明弘治十一年，举乡试第一（即解元）。次年入京会试时受挫，从此与功名隔绝，以著名书画家名闻后世。

满纸悲凉,寄怀深远。清代学者吴乔在其《围炉诗话》中大加赞赏,说:"唐子畏题墨菊""寄托平生尽矣,明诗所少"。

看过这类"寄托平生尽矣"的题画诗,一个悲歌失意、所如不偶的落拓文士形象,灿然挺立在眼前。我们很难把他同那些在口头文学中广泛流行的所谓"风流韵事"(什么"点秋香"啦,"一笑魂飘,再笑断肠,三笑因缘"啦)联系在一起。难怪伟大的南宋诗翁陆游,早在几百年前,就曾慨然兴叹:"斜阳古柳赵家庄,负鼓盲翁正作场。身后是非谁管得?满村听说蔡中郎。"

"贤哉寅也"

风雨浃旬,厨烟不继,涤砚吮笔,萧条若僧,
因题绝句八首,奉寄孙思和(选一)

唐寅

领解皇都第一名,猖披归卧旧茅衡。
立锥莫笑无余地,万里江山笔下生。

当年至圣先师的首席高弟、有"复圣"之称的颜回,"一箪食,一瓢饮,在陋巷,人不堪其忧,回也不改其乐",博得孔老夫子"贤哉回也"的赞誉。现在,这位唐解元已经连续十天("浃旬")了,"厨烟不继",几乎到了断炊的地步,"萧条若僧",但仍然"涤砚吮笔",创作不辍。如果圣人还在,也总该称赏一句"贤哉寅也"吧?

唐寅在写给友人孙思和的诗中说,他曾经考取南都应天府乡试的第一名,但并不以有幸夺魁为意,依旧保持其狂放不羁、猖披无忌的风格与气质。孙思和当然清楚,唐寅在这次乡试中,以二十九岁华年,拔擢高第,声闻四海,自是豪气纵横,傲睨天下;不料,次年会试中却因卷入一场舞弊案被黜去功名,因而归卧茅屋,由天上一下子跌落到地下。

此时的他,既无资产,又无地位,不过是贫穷潦倒的一介书生。

但他却说,别笑我贫无立锥之地,由于独擅丹青,凭着一枝生花妙笔,顷刻之间,就会使万里江山涌出地面。言外之意是,物质生活虽然困苦,精神财富却异常丰盈,诗人深深以此自豪。艺术的通灵之处,或者说重要作用,就在于它作为主体的自由的希求,可以从窘境以至危机中,回复人的创造精神与生命活力。

诗中不现丝毫萧索、困顿之气,格调高昂,意气风发,读了令人振奋。

何事秋风悲画扇

题秋风纨扇图

唐寅

秋来纨扇合收藏,何事佳人重感伤?
请把世情详细看,大都谁不逐炎凉!

《秋风纨扇图》,是唐寅的水墨人物画代表作。画家以白描手法,运用高度洗练的笔触,描绘了一个眉宇间微露幽怨怅惘神色的绝代佳人,她手执纨扇,侧身凝望,衣裙在萧瑟秋风中飘动,身旁衬着双勾丛竹。画的左侧题写了这首七绝。

过去有"秋扇见捐(被弃)"的成语。寥寥四个字,背后藏有一段凄怆哀婉的史事:汉成帝妃子班婕妤,由于色衰爱弛,悯芳华之不再,借秋扇以自伤,遂作《团扇诗》以遣衷怀:"新裂齐纨素,皎洁如霜雪。裁作合欢扇,团圆似明月。出入君怀袖,动摇微风发。常恐秋节至,凉飚夺炎热。弃捐箧笥中,恩情中道绝。"

显然,唐寅的作画题诗,与其个人生活的凄苦遭遇,同样也有直接关系,甚至可以说,正是其自身际遇的真实写照。作者"立象以寄意",运用"秋风悲画扇"的故实,抒写其对于世态炎凉、人情冷暖的感慨。诗人似乎在对画面上手执纨扇的美女说:秋风乍起,天气渐凉,你手中的纨扇,本来就是应该收藏起来的,何必为此而过重地感伤呢?完全可以看开一点——世情原本如此,你看这博大的人群中,又有哪一个不是趋时附势,随着炎凉而变换自己的态度呢!

诗写得很妙,句句正面解释,句句作慰藉语,实则反话正说,暗设机锋。比起直接批判,露骨地针砭,更是入木三分,耐人寻味。

自尊无畏

泛海

王守仁[①]

险夷原不滞胸中,何异浮云过太空?
夜静海涛三万里,月明飞锡下天风。

明武宗正德元年冬,宦官刘瑾专权擅政,逮捕仗义执言的南京给事中御史戴铣等二十余人。王守仁不畏权贵,上疏论救,以致触怒刘瑾,被杖责四十大板,并贬谪到贵州龙场驿。放逐途中,刘瑾派爪牙尾随其后,企图伺机谋害。为了摆脱这种险境,避开特务的跟梢,过钱塘江时,王守仁使用"金蝉脱壳"的策略,搭乘一艘商船出海。不料,在海上遭遇一场风暴,生命危在旦夕。他却镇静自若,写下了这首七绝。

前两句,叙事抒怀,说安危、生死原本没有留滞在胸中,完全置之度外,同浮云掠过太空,瞬息流逝,没有什么两样,集中体现诗人的处变不惊,沉着、坚毅地同死神搏斗的大无畏精神。后两句,把这种心境进一步引申开去,转为写景,展现一番光风霁月般的内心世界:在

[①] 王守仁(1472—1529),明弘治年间进士,官至南京兵部尚书,封新建伯。著名思想家、文学家、军事家,陆王心学之集大成者。曾在故乡创办阳明书院,世称阳明先生。

月明之夜,就像一位道行高超的游僧,手执锡杖,足踏天风,飞越三万里洪涛,飘摇自在,任意遨游。"飞锡",佛家语。原典讲,智者大师到了天台山,在两山之间,将锡杖(高僧手持的一种法器)一丢,遂跨乘而过。诗人借此表达其超然世外、淡观荣辱的洒脱心态。

纵观王阳明的一切修为,可以得出一个结论,就是内心无比强大。如同他在一首诗中所表白的:"人人自有定盘针,万化根缘总在心。却笑从前颠倒见,枝枝叶叶外头寻。""定盘针"在哪里?只在此心中,无须外求。章太炎先生评价王阳明心学时,曾以四字概之:"自尊无畏"。这在本诗中也得到了充分的体现。

诗中,心学与禅理,实景与虚境,合而为一;诗人洒脱的心境、豪迈的气魄、潇洒的情怀、沉毅的个性,融于一体;气势磅礴,豪迈奔放,境界洞开,思通万里,襟怀、风骨之外,还带有禅机理趣。

平涛叵测

江行杂诗七首(选一)

李梦阳①

十八滩都尽,舟人惯不劳。
可言滩石险,难测是平涛。

赣江上的十八处险滩,多见于古代诗文,当年苏轼就曾有过"七千里外二毛人,十八滩头一叶身"的诗句。现在,江行中的诗人李梦阳又碰上了。他说,眼前的十八滩,一个接着一个,非常险恶,但是,撑船的舟子却能够不费气力,逐一地安然渡过;原因在于滩石险情都在明面上,能够一一指认,说得出来,从而倍加小心,完全可以化险为夷。可是,在有些江面上,平涛静浪,表面看去,波澜不惊,哪知道水底下却隐藏着难以测度的暗礁,若说险情、危机,那才是最厉害的。

作者借助江上行舟的日常生活体验,隐喻社会特别是官场斗争中"明枪易躲,暗箭难防"的道理。

本诗属于即兴咏怀。所谓兴,就是"感发志意"(朱熹语)。李梦阳在《林公诗序》一文中也谈道:"夫诗者,人之鉴(镜子)者也。夫人

---

① 李梦阳(1472—1529),明弘治年间进士。政治上屡经风波,曾五次入狱,终被夺职家居。所作诗文以复古为号召,为明"前七子"领袖之一。

动之志,必著之言""而后诗生焉"。就是说,诗人作诗是有所为而发的,是个人心境的象显。综观李梦阳的一生,可说是历尽险情,而且防不胜防。二十年宦海生涯,由于个性耿直,出言无忌,指斥国戚,弹劾阉宦,陵轹台长,曾五番下狱、数次罢官,可谓暗礁险滩历尽,艰险备尝。这首短诗正是滴洒着泪痕血渍的心路的写照。

诗的格调高昂,不现衰飒之气。清人王夫之对这组五言小诗,评价颇高,许之以"雄浑沉丽""冠冕千古"。

超妙的通慰

嫦娥

边贡①

月宫秋冷桂团团,岁岁花开只自攀。
共在人间说天上,不知天上忆人间。

此诗有作者自注:"时外舅胡观察谢政家居,寄此通慰"。外舅,据《尔雅·释亲》,即妻之父。原来,诗是用来安慰卸任家居的岳父的。作者的意思是:您老人家当日在朝参政,每日孤独清寂,"高处不胜寒";现在离职家居,"无官一身轻",可以尽享天伦之乐,不知道有多少人正称羡不已呢!完全不必为之苦闷。但是,作者并没有直来直去地说,而是借助嫦娥这一著名文学意象,来寄意抒怀,表明心迹。劝慰手法十分超妙。

从远古时代开始,就留下了"嫦娥奔月"的神话传说:某部落首领后羿,从西王母那里讨要来长生不老之药,结果,被他的年轻貌美的妻子嫦娥偷着吃掉了,尔后,她便飞升到了月宫,永生永世住在那里。"桂团团",系化用李白诗句:"桂树何团团"。桂树为传说中的

---

① 边贡(1476—1532),明弘治年间进士,官至南京户部尚书。为反对"台阁体"诗风的"前七子"之一。

月宫的景物。

诗人说,自从嫦娥神奇地飞入月宫,加上种种美妙的神话的渲染,使得人间对于天上充满了艳羡与向往之情;可是哪里知道,月宫是清冷无比的,即便是丹桂花开,也只是嫦娥独自一人在那里赏玩,备受孤独寂寞的心理折磨,因而,她时时都在想望着人间。也正是为此吧,唐代诗人李商隐才满怀悲悯之情,写出了"嫦娥应悔偷灵药,碧海青天夜夜心"这传诵千古的名句,从而引起无数易感心灵的强烈震撼。

同命相怜

兴教寺海棠

杨慎①

两树繁花占上春,多情谁是惜芳人?
京华一朵千金价,肯信空山委路尘!

嘉靖十年,时值孟春("上春"),农历正月,贬谪中的杨升庵与挚友、白族学者、"滇南七子"之一的李元阳,同游坐落于丽江府剑川州城南的兴教寺,观赏元代栽植的海棠。其时,两树繁花盛开,古艳照人,升庵有感于中,遂题写七绝一首。

诗中说,繁花两树占尽了早春的风光,可是,在这渺无人烟的古寺里,又有谁会对此多看上几眼,赏鉴与爱惜这美艳的孤芳呢?在京城,一朵海棠花卖得上千金重价;令人难以置信的是,同样是高贵无比的名花,此刻却沦落到了空山僻壤,只能委弃路旁!汉代文学家扬雄《解嘲》中所说的:"当途者升青云,失路者委沟渠",与此恰合榫卯,看了使人感喟无限。

史载,杨升庵为官直言敢谏,终因"议大礼"案触怒嘉靖皇帝,被

---

① 杨慎(1488—1559),号升庵。著名文学家,明代三才子之首。正德年间状元,授翰林修撰,时年二十四。他是一位奇才,学问渊博,无书不览。

流放云南三十余年,最后卒于贬所。在敷扬文教方面贡献颇大,"滇中风雅,实开于升庵"。诗人在这首咏物诗中,借咏叹空山海棠,寄慨于一己的悲惨身世,既暗喻自身沦落边陲的凄苦生涯,同时也展示了孤标绝俗、不与时流合污的高贵情怀。他曾多次以咏花寄寓感慨。如在《咏箐(大竹林,泛指山林)底香花》七绝中咏叹:"滇海名花箐底香,山矾风味水仙装。琼枝本是天边种,零落遐荒十四霜。"诗中有泪,令人不忍卒读。

同游的李元阳亦有咏兴教寺海棠诗:"国色名花委路旁,今年花似去年芳。莫言空谷知音绝,也有题诗玉署郎。"既赞海棠,又对升庵表达慰藉之诚。"玉署",指翰林院。杨、李二人都曾在翰林院供职,此日又一同为海棠题诗,因此,这里的"玉署郎",应是包括他们两人。

心中有法

言志诗

杨继盛[①]

读律看书四十年,乌纱头上即青天。
男儿欲画凌烟阁,第一功名不爱钱。

　　题为"言志",就是说,它是申明志向、抱负与价值取向的。此类诗历来不少,但这一首在内容方面却有独到之处。杨继盛在世不过三十九个春秋,为官也只有几年,职级未过五品,其特异之处,反映在本诗中有两个闪光点:一是他把为官清廉同法律联结起来;二是他的功业观突出强调人格、气节。这两方面,在本诗中都有鲜明的反映。

　　纵观他的一生行止,无疑是儒学人格化的具体体现。但与一般崇奉儒学的官员不同,他把法律看得很重,强调"读律看书",心中有法,头上是有青天的。意思是,为官必然执法,而执法的铁律,则是刚正无私,因此,必须光明正大,绝不能贪赃枉法,胡作非为。在他看来,儒家的"三不朽",立德为先,至于立功,要完成的功业当然很多,但居于首位的应该是清正廉洁。大丈夫要想在凌烟阁(汉代为表彰

[①] 杨继盛(1516—1555),号椒山,明代著名直谏之臣。嘉靖年间进士。因弹劾权奸严嵩十大罪状,而遭到构陷,系狱三年,最后惨遭杀害。

功臣而修的纪念性建筑，阁内绘有开国功臣的画像）上画影留名，流芳百世，第一等功名就是不贪图钱财。

或问：不贪图钱财，能算功名，而且是第一等功名吗？答曰：这是千真万确的。人们都记得，而且为举世所公认，岳飞那一句名言："文臣不爱钱，武臣不惜死，天下太平矣。"（见《宋史》本传）能够致天下于太平，难道还算不上第一等功名吗？

师法自然

题画梅二首(选一)

徐渭[①]

从来不见梅花谱,信手拈来自有神。
不信试看千万树,东风吹着便成春。

诗中体现了作者不受成规束缚,自由抒写性灵的艺术主张以及师法自然的美学观点。

诗人说,我画梅花,从来不照着《梅花谱》(画梅花的示范样本)去描摹,而是信手拈来,这样,总能达到风神毕现。假如你们不信服我的说法,或者不懂得是何道理,那么,就请到大自然中去实际观察——东风吹过,万树成春,这种天工化境,难道也是照着什么样本描摹出来的吗?

中国画史记载,宋·华光和尚因月光映梅影于纸窗而得到启发,创作了用浓浓淡淡的墨水晕染而成的墨梅;还有五代时的李夫人(郭崇韬之妻)借纸窗竹影而首创墨竹,都说明师法自然是创新的基本途径。时空变化,万古常新。"日新之谓盛德"(《周易·系辞》)。

[①] 徐渭(1521—1593),字文长,别号天池山人、青藤道士。为人狂放不羁,多才多艺,擅诗文、书画、杂剧,但终生怀才不遇,在乡间教学授徒为生。

对于艺术家,大自然与生活实际,是永远新鲜的。

论者认为,这里说的师法自然,也还可以作更加深入、广泛的解读。一是,"自然"可以延伸为大自然的规律,包括艺术创造在内的各种社会实践,都应当遵循自然规律。二是,师法自然也可以理解为从自身感受当中寻找真理。比如,艺术家强调用自心去体会万物,从而获得灵感,这也是师法自然。

直话曲说

仙人掏耳图

徐渭

做哑装聋苦未能,关心都犯痒和疼。
仙人何用闲掏耳,事事人间不耐听!

徐渭是一个典型的悲剧人物,有人说他是"中国的凡·高"。这种命运的出现,除了个人的性格因素,也确实和他所处的极端污浊恶劣的社会现实、时代环境有直接关系。在他不算短暂的七十三年生命历程中,看惯了重重叠叠的黑暗现实,经受了太多的精神刺激,饱尝了人生的苦难。这样,作为一位天才的艺术家,必然要把所思所感反映到文艺作品中去。他在题《宋人画睡犬》一诗中,有"不知酣睡何时觉,料尔都无警盗功"之句,意思是:现在是盗贼横行的世界,你怎么还忍心睡大觉呢?料想你已经完全丧失了"警盗"的功能了。但最辛辣的讽刺还是这一首七绝。

作者苦心孤诣、惨淡经营,构思了一幅仙人在那里掏耳朵的画面,然后题诗其上,说现实社会中令人痛心疾首的事太多了,"事事人间不耐听"——不堪听,听不得。因此,只有装聋作哑,不闻不问,方为上策;可又常常苦于做不到,不忍心。看来,最理想的解决办法,就是让两只耳朵长久地堵塞着。而你这个仙人,真是不食人间烟火,不谙人生世事,怎么待着没事,竟然掏起耳朵来了?岂非咄咄怪事!

　　借日常生活现象,发泄对社会弊端的愤慨之情,嬉笑怒骂,尖刻辛辣。你掩饰,我揭穿;你造假,我求真。正话戏说,寓庄于谐,构思十分别致。

悲剧人生

题墨葡萄（五首选一）

徐渭

半生落魄已成翁，独立书斋啸晚风。
笔底明珠无处卖，闲抛闲掷野藤中。

  作为颇具中国艺术特色的题画诗，它把语言艺术的无形的诗同视觉艺术的有形的画，巧妙地融为一体，从而使画意与诗情相生相发，相互延伸，使意象、意境、意蕴更加深远，达到诗画一体的独特艺术境界。
  一般的题画诗，多是从咏叹画面的景物入手，进而抒写自己的情志，寄托深沉的感慨，所谓即景抒怀，借题发挥。而徐渭的这幅水墨大写意的题画诗，却别开生面，抛开题目上的"墨葡萄"，另起炉灶，索性直接谈诗人自己，仿佛画面上不是墨葡萄，而是半生沦落、四处碰壁、满腹牢骚的诗人自己，茕茕孑立在书斋前，临风啸傲，长歌当哭。实际上，是诗人以野葡萄自喻，沉痛地抒写他落魄失意，怀才不遇，胸藏"明珠"而无人赏识，只能"闲抛闲掷野藤中"的凄凉境遇、悲剧人生。诗圣杜甫晚年浪游巴蜀，流落荆湘，贫病交加，生计迫蹙，曾经嗒然兴叹："百年歌自苦，未见有知音。"看来，徐渭在题画诗中所抒发的悲慨,也正是这种惨淡的情怀。

徐文长的一生,备极艰危凄苦,历经无数磨难,年轻时八试不第,尔后又坐牢七年,陷身囹圄之中,惨遭非人待遇,镣铐在身,行动不能自由,衣服不能换洗,以致满身生出虮虱。出狱后,被永远剥夺入仕资格,从此抛弃了一切功名心、青云路,甚至断绝了生存的希望,曾九次自杀,终未致死。徐渭原本就是一个个性极强、自由惯了的人,屡经挫折后,异端思想更其发展,因此在京居留时,放浪形骸、纵诞不羁,"视一世事无可当意者",根本不把上层权贵放在眼里,友人便常以"礼法"提醒和约束他,他怒气冲天地说:"吾杀人当死,颈一茹刃耳,今乃碎磔吾肉!"

当代学者陈刚指出:"在色彩斑斓的明代文化史上,徐渭之奇,世所公认。他的经历奇:九赴科举皆败北,三次从军,两度出塞,杀妻坐牢,终老布衣;他的个性奇:豪放、狂荡、傲岸;他的病向奇:数度发狂,数度自杀;他的艺术成就奇:诗、文、书、画、戏曲、文论,无所不通,无所不精,凡所涉猎,无不惊世诧俗,各种艺术样式到了他手里,无不成了抒写个人情性、宣泄胸中磊落不平之气的凭藉。……他以个人情性为最高存在的执着追求,他那孜孜不倦、至死不悔的人生实践,他那卓尔不群、敢笑敢怒的个体形象,显示了一股强大的闪耀着时代亮色的个性力量。无疑,这种力量具有历史的超前性和进步性。"

惨痛的人生,凄苦的身世,忧心忡忡乃至惶惶不可终日的艰危处境,造就并强化了他的抑郁、多疑、狂暴、易怒,眼空四海、极端自负的悲剧性格,最后发展到精神失控的地步。在性格与命运的激烈冲突中,他一步步走向死亡,无情地卷走了他的一切,包括奇绝一世的艺术天才。

在诗文、戏剧、书画等各方面,他都能独树一帜,给当世及后代留下许多艺术瑰宝,产生了深远影响。对于他的诗,袁中郎赞为明代第一。袁氏在《徐文长传》中,有过生动的描述:"其胸中又有一段不可磨灭之气,英雄失路托足无门之悲,故其为诗,如嗔如笑,如水鸣峡,如种出土,如寡妇之夜哭,羁人之寒起";清人王夫之对他的七绝尤为欣赏。他的剧作《四声猿》,受到同为十六世纪新的社会思潮影响下的具备了新的思想模式、人格模式、生活模式的伟大剧作家汤显祖的极力推崇,汤氏曾语人曰:"《四声猿》乃词坛飞将,辄为之唱演数通。安得生致文长,自拔其舌。"其相引重如此;汤还曾邀请徐至南京会面,惜徐年老体衰,未能成行。至于绘画,青藤更在我国艺术史上独创新格,成就尤为特出,为郑板桥所拳拳服膺,极度倾慕,曾刻一印,自称"青藤门下走狗",近代艺术大师齐白石,对他也深为敬服。

看景不如听景

桃叶渡

徐渭

书中见桃叶,相忆如不死。
今过桃叶渡,但见一条水。

徐渭的这首五言短章《桃叶渡》,可说是旖旎缠绵,风华毕现,一往情深。这和他的大量的凄怆、酸苦、愤激的诗作,恰成鲜明、尖锐的对比。

东晋年间,王羲之的第七子、著名书法家、诗人,风流倜傥的王献之,经常在南京秦淮河畔的一处渡口,与其爱妾桃叶相会,"桃叶渡"由此得名。

由于此间处于两河的交汇处,水深流急,翻船事故时有发生,王献之对乘船横渡秦淮河的桃叶放心不下,经常亲往渡口迎送,并作《桃叶歌》多首,表达其亲昵、爱怜的感情。其中第二首流传最广:"桃叶复桃叶,渡江不用楫。但渡无所苦,我自来迎接。"南朝陈·沙门智匠最早把它录入《今古乐录》,后又载于北宋郭茂倩所编《乐府诗集》,并附说明:"《桃叶歌》者,晋王子敬(王献之字)之所作也。桃叶,子敬妾名,缘于笃爱,所以歌之。"

徐渭在诗中说,看了古代书籍中所记载的桃叶的遗闻轶事,感到美人仿佛还像活着一样,长时期地留存在记忆中、想象里;及至实地寻访那个名为"桃叶渡"的所在,已经踪迹无存,就仅仅剩下一条水了。从"但见"二字可以看出,诗人走笔至此,当会像"书圣"王羲之所言:"情随事迁,感慨系之矣"。

其实,何止桃叶渡一地一事,凡是同美女(包括其他人物)有关的往古遗迹,像浣纱溪、响屧廊、景阳宫、华清池等等,哪里不是如此!推而广之,扩展到一切名城胜迹,由于历代诗文吟咏,因而声闻遐迩,名传后世;但是,沧桑迭变,世异时移,待到后来人慕名而来,身临其境,已经面目全非,不可复识矣,结果是十个有十个要失望的。清初诗人邱石常过梁山泊,留下一首七绝,不禁慨然兴叹:"施罗(施耐庵、罗贯中)一传(《水浒传》)堪千古,卓老标题(李卓吾评点)更可悲。今日梁山但尔尔,天荒地老渐无奇。"

还有一种情况,就是文学的想象力作祟。东坡居士《赤壁怀古》词,有"乱石穿空,惊涛拍岸,卷起千堆雪"之句;《后赤壁赋》也说:"江流有声,断岸千尺""履巉岩,披蒙茸,踞虎豹,登虬龙,攀栖鹘之危巢,俯冯夷之幽宫",险峻达到"二客不能从"的程度。但几十年后,诗人范成大重寻旧迹,却在《吴船录》中记载:所谓赤壁,不过"小赤土山也,未见所谓'乱石穿空'及'蒙茸'、'巉岩'之境。东坡词、赋微夸焉"。清代文学批评家刘熙载也说:"东坡善于空诸所有,又善于无中生有。"(《艺概·诗概》)西方超现实主义画家奇里科则认为,对于每一种物体,都有两个视角:平常的视角,这是我们的时常的一般人的看法;另一种是精灵式的和形而上的视角,只有少数的个别人,能在洞彻的境界里和形而上抽象里看到。

总之,这都应了那句俗话:"看景不如听景"。想象中的景物,无论多么美好、动人,总是经不起实地游观、验证的。

村居野趣

暮秋村居即事

王世贞①

紫蟹黄鸡馋杀侬,醉来头脑任冬烘。
农家别有农家语,不在诗书礼乐中。

诗人晚年辞官村居,过着一种闲适自在、返璞归真、充满人情味的乡野生活,摒弃了儒家经典中所崇尚的功名荣禄,摆脱了官衙中的虚应故事、繁文缛节;与此同时,通过接触田夫野老,深刻体验到农民诚实纯朴的可爱品格。四句通俗易懂的诗,既是作者这种实际生活的写照,又是一种富有理趣的生命体验与人生感悟。

诗人即事写怀,衷心赞颂农家纯真质朴的生活形态。前两句写实,描绘农家真诚实在、盛情待客的场景。餐桌上菜肴极为丰盛,般般美味杂陈,既然有紫蟹黄鸡,自然少不了村醪米酒。主人殷勤劝饮,客人也脱略形骸。主客之间,无拘无束,一任天真。"侬",诗人自称。"头脑冬烘",意为迂腐、浅陋、俚俗、糊涂,乃诗人的自我调侃

---

① 王世贞(1526—1590),明嘉靖年间进士,官至南京刑部尚书,后病归。与李攀龙、谢榛、宗臣等相互唱和,史称"后七子",而才望独高,所谓"当日名虽七子,实则一雄"(清代诗人朱彝尊语)。

之语。那种情态,与陶潜《饮酒》诗中所描述的:"班荆坐松下,数斟已复醉。父老杂乱言,觞酌失行次",略相仿佛。

后两句述怀,发抒感想。显示诗人倦于功名利禄之后,在村居生活中,对于农民、农村的进一步的认识与理解,以及自己思想感情方面的变化。这些乡下民众,有直率的性格、诚朴的情操、务实的追求,也有自家特定的语言,它们都来源于长期的生产生活实际,是士大夫一贯遵循的诗书礼乐等儒家经典中所未曾有的。这是诗人感受最深的核心内涵,也是本诗的主旨所在。

莫混兰艾

王楚玉画兰

陈继儒①

年来空谷半霜风,留得遗香散草丛。
只恐樵人溷兰艾,红颜收在束薪中。

这是一首题画诗。画兰者王楚玉,字韫山,与陈继儒同乡,绘画山水喜用湿笔,善于临摹。

诗人借助吟咏兰花,抒写其深沉的惜士怜才之情。前两句,就画面中所见来说事:秋霜既降,百卉半已凋零,山谷中更加显得空寂。只有秋风吹过,还能传出草丛中兰花散出的淡淡幽香。言下之意是,兰花尽管与野草长在一起,但也无法埋没它的芳踪。三、四两句,通过议论,传递心声。说,怕的是粗心的砍柴人,辨识不出来芳兰的姿采与幽香,把它和艾草混同起来,一股脑儿地砍下来捆在一起,付之一炬。《晋书·孔坦传》中,即有"兰艾同焚,贤愚所叹"之语,说的是兰花跟艾草一同烧掉,比喻好坏不分,同归于尽。

陈继儒学识渊博,经常撷取琐言僻事,荟萃成书。因他已绝意仕

---

① 陈继儒(1558—1639),号眉公。明代诸生,年未三十即隐居山野,工诗善文,兼擅绘事。朝廷多次征用,皆以疾辞。

进,却又喜欢与显贵交往,周旋于大官僚间,时人多有讥评,说他"以处士(指不入仕途的人)虚声,倾动朝野"。但他对时政利弊、人民疾苦、人才擢用,都比较关心,多有建言。此诗即属于此类,即物写怀,寄怀深远,婉转曲折,颇见匠心,无论是意蕴还是艺术感染力,都是值得点赞的。我们也应本着"莫溷(混)兰艾"的要求,把它标举出来,不要使它埋没。

兰花个性化(一)

兰花

薛冈[①]

我爱幽兰异众芳,不将颜色媚春阳。
西风寒露深林下,任是无人也自香。

兰花高洁、芳香、清纯、雅正,素有"花中君子"之誉。从屈原开始,历代文人骚客都习惯以兰花比喻君子、贤人,薛冈也是如此。名为咏兰,实则借咏赞幽兰以抒情寄志,展现一己情怀。这里突出了两个方面:一是,"不将颜色媚春阳",意为孤芳自赏,耻与众花争妍取媚,趋炎附势;二是,从上一句自然引出下面的意蕴:秋老风寒中,傲然独立,不管有人无人欣赏,凭着本色、初心,开花吐艳,施放馨香。

《孔子家语》记载:夫子厄于陈蔡,"弦歌不衰"。门人子路问曰:"由也昔者闻诸夫子:'为善者天报之以福,为不善者天报之以祸。'今夫子积德怀义,行之久矣,奚(何以)居之穷(困顿)也?"孔子曰:"夫遇不遇者,时也;贤不肖者,才也。君子博学深谋而不遇时者,众矣,何独丘(孔子自称其名)哉!且芝兰生于深林,不以无人而不芳;

[①] 薛冈(1561—?),明代布衣,家无长物。工古文诗词。长客京师,晚还乡里,自号天爵翁,著《天爵堂笔余》。

君子修道立德,不为穷困而改节。"另据东汉蔡邕《琴操》中记载,孔子历聘诸侯,诸侯莫能任,自卫返鲁,隐谷之中,见香兰独茂。喟然叹曰:兰当为王者香,今乃独茂,与众草为伍。乃止车援琴鼓之,即世传之《猗兰操》。唐人韩愈仿效圣人,也写了一首《猗兰操》,有句云:"兰之猗猗,扬扬其香。不采而佩,于兰何伤。"

　　薛冈的这首诗,正是依据孔子的教示而写的。清康熙帝也有一首《咏幽兰》的七绝:"婀娜花姿碧叶长,风来谁隐谷中香。不因纫取堪为佩,纵使无人亦自芳。"诗的尾句,同样也是本于孔子。"不因纫取堪为佩",意思是,不因可以被别人摘取作为佩带装饰而自贵,亦即韩愈"不采而佩,于兰何妨"之义。

　　关于薛冈的人格、气质,我们了解得不多。与其同时的学者何伟然关于《天爵堂笔余》有如下评论:"知无不言,言无不痛,似乎不乐与世言,而作孙登(与阮籍同为魏晋之际名士)啸(长啸放情)也;又似乎不得与世言,而作阮籍之哭也"。看来,其人亦属穷途不遇,愤切慨慷,孤高自傲,不谐于时者流,宜其"我爱幽兰"也。

兰花个性化(二)

画兰

李日华[①]

懊恨幽兰强主张,开花不与我商量。
鼻端触着成消受,着意寻香又不香。

这首题画诗,写得颇有情趣。在诗人的笔下,兰花真是个性鲜明,活灵活现。前两句,写幽兰孤高傲世、我行我素的性格。"强(同犟)主张"三个字,把兰花拟人化、个性化了。说是兰花固执己见,要开就开,也不同我这个主人商量商量。对这种傲岸的性格,诗人说是"懊恨",实则是特别欣赏的。后两句,延伸开去,在兰花最具本色特征的香气上作文章。对那种孤芳自赏、不事张扬的气质和作风,同样抱着备极赞赏的态度。说兰花的淡淡幽香,不经意间触到鼻端就可以嗅到,这简直是一种美的享受;可是,当你有意识地去访查,去体验——张着鼻孔认真去嗅,却又什么也嗅不出来。

这种所谓"暗香""幽香",确确实实是兰花的特色。元人余同麓有诗云:"手培兰蕊两三栽,日暖风和次第开。坐久不知香在室,推

[①] 李日华(1565—1635),明万历年间进士,官至太仆少卿。性淡泊,与人无忤。擅诗文,工书画,精于鉴赏,世称博物君子。

窗时有蝶飞来。"说他亲手栽培了两三盆兰花,在这日暖风和时节,已经先后地绽放了。由于久坐屋里,花香反倒闻不到了,却是蝴蝶嗅觉分外地灵敏,刚一推开窗户,它们便寻着花香飞了进来。大画家郑板桥选取了另一个角度,说兰花即便是很难借助外在的条件,只是凭着自然的实力,还是若有似无地散发着香味:"蜂蝶有路依稀到,云雾无门不可通。便是东风难着力,自然香在有无中。"

诗人们借咏兰花,张扬了素所追求的人格理想,也形象地揭示出生活中的美学现象,以不同视角表达了共同的审美情趣。

深服渊明

读子瞻集书呈中郎

袁中道①

登朝便与祸相黏,尘世功名到底甜?
直到海南天尽处,桄榔树下忆陶潜。

　　袁中道的二兄宏道,以名士而为县令,尝深以为苦,罢归后咏诗,有"病里望归如望赦,客中闻去如闻升"之句。中道深谙此中情味,因而在诗中说,读书士子只要登朝做官,就必然要与祸患相连。其实,尘世的功名富贵有什么甜头?可说是苦不堪言。当年东坡先生(字子瞻)流放海南,随身带有陶渊明诗集,爱不释手,但是,直到有了切身体验,才算真正悟解了其中的道理。

　　苏轼由于直言、耿介,一生灾连祸结。他曾说:陶渊明自我省察,有"性刚才拙,与物相忤,自量为己,必贻后患"之语。自己倒是"真有此病,而不早自知。半世出仕,以犯大患。此所以深服渊明,欲以晚节师范其万一"。

　　其实,袁中道也是"口明心不明",本人并未能真正跳出这个迷

---

① 袁中道(1570—1632),著名散文家袁中郎的胞弟。万历年间进士,官至南京吏部郎中。

魂圈儿。他目睹封建官场的黑暗与险恶,所以如是说;那么,他又是怎么做的呢?终是"名根未破",年已四十六,仍醉心于科考,说"未能离世网,安敢薄功名"。一生都在追求功名与渴望归隐,趋从世俗与率性自我的矛盾中挣扎。这倒应了其兄宏道那句警语:仕途如"油入面中,当无出理"。

真是一个有趣的现象——苏东坡、袁宏道、袁中道,还有许许多多大诗人、大才子,怎么如出一辙,都是"口明心不明",或者"知明行不明"呢?

忆 别

题与宋比玉合作山水

李流芳①

君画苍苍带雨松,我图冉冉出云峰。
他时相忆还开看,云树平添几万重。

先说几句闲话。笔者还不到十五岁,即辞亲别里,外出求学,饱尝了忆昔伤别、思亲怀友的人生况味。所以,多年来对于这类诗文,总是加倍留心,涵咏不置,甚至还有编选一本这类诗词的打算。记忆中有两首七绝,留下了深刻印象。它们都是以云峰、苍松为意象,而且格调相近,韵律一致。其一就是明人李流芳的这首题画诗。

李氏与他的文友宋比玉(号荔枝生,精八分书,擅长绘事)合作,共同完成了一幅山水画,然后挥毫在画的一角题写了四句诗。前两句说,你画了深青色的含烟带雨的松树,我画上从冉冉浮动的云层中露出的山峰。这是写他们二人共聚一堂,合作绘画。后两句扩展开来,遥想他年,二人两地分襟,相思相忆。说将来离别之后彼此忆念时,可以打开共同绘制的画图来看。只是,那时我们已经天各一方,

---

① 李流芳(1575—1629),万历年间中举,后绝意仕途。晚明诗人、书画家。

重重阻隔,一如画中山水,却更比这山山水水还多上了几万重的云树呢!

  我所关注的另一首,是清康熙年间进士王庭诏的七绝:"一函游子泪痕封,寄去云山几万重。君到鹤洲江上望,数椽茅屋几株松。"与李诗放在一起来读,可谓异曲同工,各极其妙:一是从云峰、苍松的画面上忆起,其时彼此已暌隔千重万重云山;一是作逆向思考,倒过来从千重万重云山忆起,想到故里的茅屋、苍松。同样都是诗思邈远,逸韵悠然,令人获取一种言有尽而意无穷的美的享受。

咫尺天涯

送友人之白下

徐熥①

春风吹柳万条斜,极目金陵隔暮霞。
不必相思当后夜,片帆开处即天涯。

送别,是古代诗文中常见的主题,自然都涉及当事人的心理描绘。最著名的有两篇:一是南朝江淹的《别赋》,中有"行子肠断,百感凄恻","意夺神骇,心折骨惊"之句,简直是形神毁丧,悲伤欲绝;再就是唐人王昌龄的《送柴侍御》:"流水通波接武冈,送君不觉有离伤。青山一道同云雨,明月何曾是两乡。"看了竟令人神清气爽,心胸豁然。徐熥的这首诗,该是介乎二者之间,既充满了送别友人时惯常出现的离情愁绪,又不显现撕心裂肺、肠断魂销、无比惨痛的心态。

诗的前两句,交代了与友人握别的时空环境:春天的傍晚,同友人站在绿柳垂丝的江岸上,眼望着晚霞辉映下的金陵("白下")方向,执手话别。后两句,抒写启锚扬帆、友人即将远去之际,诗人依依惜别的怅惘情怀。说不必等到"后夜"才相思无限——那时,行船已

---

① 徐熥(1580?—1637?),明万历年间举人。一生未仕,以诗自娱,作诗宗法唐人,尤以七绝擅场。

经远哉遥遥了;即便是在"片帆开处"的当下,已经有了天涯万里之感。"后夜",佛教用语中有初夜、中夜、后夜之说;现实生活中,后夜当指后半夜或后一夜(与前夜相对应)。

自从唐人刘禹锡吟出"莫道两京非远别,春明门外即天涯"的隽句之后,自宋迄清,诗人多以"天涯"二字状写远行情境,诸如"暗随流水到天涯","吟鞭东指即天涯","客行无远近,门外即天涯",不一而足。徐𤊹也未能脱去这一窠臼,但他巧妙地从时间(后夜与即刻)角度去写空间(白下与脚下)的情事,颇具匠思,翻出新意。同时,诗中景里含情,情中寓理,化抽象为具体,也很别致。

终老无成的教训

怜愚

宋应星[①]

一个浑身有几何,学书不就学兵戈。
南思北想无安着,明镜催人白发多。

诗题"怜愚",意为哀怜、悲悯不明智的人,应属于劝勉诗的范畴。此类诗,一般多以即事明理形式,从正面阐明道理;本诗却是通过一个缺乏定力、见异思迁、时作时辍,以致终老无成的人物形象,从反面来做文章。

首句泛泛谈起,一个人浑身没有那么多的精力,也并不具备那么多的机会,可供你不断地选择、不断地"跳槽"。次句从泛泛转为具体,说此人也曾想要读书进取,结果未见成果,便又改弦更张,弃文就武,操练兵戈。正所谓"学书学剑两无成"。第三句,分析所以致此的原因——心情浮躁,耽于空想,总是没有着落。第四句,交代结局,面对明镜,已经白发盈头,到老了一事无成。

诗中的首尾两句,阐发了个体人生的两个局限性:一是人的精力

[①] 宋应星(1587—约1666),明末清初著名科学家。其杰出著作《天工开物》被誉为"中国十七世纪的工艺百科全书"。

有限、机会有限;二是"生也有涯",青春易逝。为此,作者规劝年轻人要早定志向,尽早明确奋斗目标,然后就矢志不移、脚踏实地地向着这个目标奋进,切忌见异思迁,浪费心智,作无用功。德国著名哲学家尼采写过一篇文章:《我为什么这么聪明》,他的结论是:"我之所以这样聪明,是因为我从来不在不必要的事情上浪费精力。"

作为自然科学家,宋应星的这番箴规、诫勉,当是出自一己的切身感受以至生命体验,极具感染力与说服力。

景外见意

秋山霜霁图

萧云从①

一林霜叶可怜红,半入虚中半画中。
冷艳足为秋点染,从来多事是秋风!

中国的山水画,作为心灵的产物,里面总要掺进画家精神、气质、追求等个性化特征;而堪称上乘的山水题画诗,则会把这一个性特征进一步发扬光大。从这个意义上说,优秀的山水画,特别是题画诗,都应该是情景交融、有意境、有寄托的艺术品。萧云从的这首题画诗,就具备了这一特点。

开头两句说,一林霜叶,映着晚秋的阳光,红得分外撩人,它们的形象与神魂,半在晴空,半入画中。"虚中"二字,泛指空间,可理解为自然界,与"画中"相互对应。诗人在绘景写实之外,渗透进了一己的观感。三、四两句,转为说理与判断:正是由于呼啸寒林的掠地秋风——它们从来都是多事的,才使得寒花般冷艳的霜叶,十足地装扮了美艳无比的秋色秋光。

---

① 萧云从(1596—1673),明崇祯年间副贡生,入清不仕,为著名画家。

前代画家有谋求"景外意"的说法。本诗实现了这一要求:在霜林冷艳点染秋光这一常见景色中,生发出秋风多事的意旨,顿使画面陡然增色生辉。到了清代大诗人赵翼笔下,通过巧袭其意,予以淬炼、加工,更营造出"最是秋风管闲事,红他枫叶白人头"的脍炙人口的名句,足见萧氏此语,不同凡响。

清及近代

妙 在 疏

与儿子

金人瑞①

与汝为亲妙在疏,如形随影只于书。
今朝疏到无疏地,无着天亲果晏如?

顺治十八年,吴县新任县令任维初为追收欠税,鞭打百姓,激起苏州士人愤怒反抗。三月初,金人瑞与一百多名士人聚集孔庙,悼念顺治帝驾崩,借机发泄积愤,给江苏巡抚朱国治上呈状纸,控诉任维初,要求将他撤职。朱国治却为任维初遮掩回护,上报京城,称"诸生倡乱抗税,并惊动先帝之灵"。清廷为威慑江南士族,将金圣叹等多名士人逮捕,严刑拷问,后以叛逆罪判处斩首,是为"哭庙案"。

这是金人瑞被杀前写给儿子金雍的绝命诗。"人之将死,其言也善"。语句看似旷达、平淡,实则融进了舐犊深情,以至哀至痛之情作最后的倾吐。寓意深厚,痛切感人。

诗中说,作为父子,平日间我们的关系是很妙的,妙在疏远而不密切;但在喜欢读书、评书这方面,则是形影相随,亲密无间。现在,

---

① 金人瑞(1608—1661),字圣叹。明末秀才,入清后绝意仕进。为人狂放不羁,酷爱评点书籍,尤以评点《水浒传》《西厢记》等驰名。

我就要被处死了,从此你我将人天永隔,真是疏到无可再疏之地。且不知没有了父亲的你,还能不能安乐如常。此为"无着天亲"句之一解,《隋书》即有"吕布之于董卓,良异天亲"之语。二解:"无著"与"天亲"乃南北朝时印度两位高僧,唐王维诗云:"无著天亲弟与兄,嵩邱兰若一峰晴。"那么,这句诗就可解为:自己往时曾学大乘之法,宗仰无著、天亲,这次终于得以解脱一切烦恼,达到涅槃境界,也就什么牵挂都没有了。三解:也许作者当日顺手拈来,两方面含义兼而有之。

汉代的董仲舒有"诗无达诂"之说,意谓对《诗经》没有通达的或一成不变的解释,往往因时因人而有歧异。现代阐释学则改变了以往学者们绝对追索作者原意的观念,以期使学术问题实现社会化、平民化,使古老的学说焕发新的光彩。就追索原意来说,前者说的是"不能";后者说的是"不必"。在我看来,既然解读古代诗文,总应尽最大努力把握其原意——通过权衡众说,把自认为最贴切、最能反映原意的那一种说法提供给读者;即使不能"定于一",也应罗列诸说,请读者"择善而从"。

诗人对于儿子极为喜爱,曾许之为:"世间真正读书种子,亦是世间学道人也"。本诗也有期待儿子以全副身心投入读书、学道,将来有所作为的用意。至于"妙在疏"云云,也当属实情。钱锺书先生诗中即有"凋疏亲故添情重,落拓声名免谤增"之句。

行己有耻

怀古兼吊侯朝宗

吴伟业①

河洛烽烟万里昏,百年心事向夷门。
气倾市侠收奇用,策动宫娥报旧恩。
多见摄衣称上客,几人刎颈送王孙。
死生总负侯嬴诺,欲滴椒浆泪满樽。

在这首著名的咏史感怀诗中,涉及两位侯姓名人:一位是战国时的侯嬴。《史记·魏公子列传》记载:"公子(信陵君)从车骑(带着随从车马),虚左(古时乘车以左为尊),自迎夷门侯生(大梁夷门守城小吏侯嬴,年已七十)。侯生摄(整理一下)弊衣冠,直上,载(坐在)公子上座,不让,欲以观公子(考验其诚意)。公子执辔愈恭","侯生遂为上客"。后来,侯嬴以死相报;此前,曾接引市井屠者朱亥,帮助公子椎杀大将晋鄙,使其得以率晋鄙军救赵。诗题中"怀古",指此。另一位是诗人亡友侯朝宗。本诗原有小注:"朝宗归德人,贻书约终隐不出,余为世所逼,有负夙诺,故及之。"说的是:明亡

---

① 吴伟业(1609—1672),号梅村。崇祯年间进士。明末清初著名诗人。

后,吴曾一度归里隐居,闭门谢客。顺治十年,清廷有诏促吴出仕,侯致函力劝勿出;吴曾允诺,但迫于形势,还是出仕了。不久,侯即逝世,吴闻讯后,题诗凭吊,对负诺失约,深自痛悔。

诗中说侯嬴,谈古昔,同时照应朝宗,隐射现实,并且牵引着自己。首句,说的是战国时期与明清易代之际的社会动乱与时局变化。"河洛",黄河、洛水流域;侯嬴所在地大梁、朝宗家归德(商丘)均在此境内。次句,"百年心事",意为诗人一生心事都关注这里,用以领起下文。第三句,说的是朱亥椎杀晋鄙建立奇功;第四句,讲述"窃符救赵"的故实:魏公子接受侯嬴建议,请魏安釐王宠妾如姬盗出调兵遣将的虎符。如姬感念魏公子曾经为她报杀父之仇,依计而行。五、六句,为全诗之枢机所在,诗人慨叹世间受恩者多,而酬报者少。言下之意是,明末遗臣都曾深受国恩,像侯嬴那样被尊为"上客";而当鼎革之际,不但没有谁像侯嬴辞送魏公子那样为之"刎颈",反而纷纷变节,趋事新朝。诗人借侯嬴事发出感慨,"见朋旧虽多,而能如侯生之死不负诺者少也;然侯生能不负诺,而己则负诺于侯生,是以为之滴泪也。侯生为谁?嬴也,又朝宗也。'怀'字'吊'字,是一是二"。(清·靳荣藩《吴诗集览》)七、八句,反过来说诗人自己,既悔恨自责,更表示对于故交朝宗的深切悼念。"死生",死,指朝宗;生,指自己。"侯嬴诺",一语双关,既指侯嬴践诺,"自刎以送公子";又借指侯朝宗,说自己"有负夙诺"。"椒浆",祭奠用的以椒调制的酒浆。典出《楚辞》:"奠桂酒兮椒浆。"

诗中寓意丰厚,寄慨遥深。我们可以从古人的懿言嘉行中,领悟到祖国优秀传统文化的精蕴。诸如,恪守民族大义,看重人格、操守,知进退之节,明去就之分;谦卑自抑,礼贤下士,尊重人才;信守承诺,交友以信,立身以诚,言必信、行必果;知恩、感恩、报恩,"滴水之恩,当以涌泉相报";等等。即便是诗人自己,虽然大节有亏,但其行己有耻、悔愧自责、看重人格的精神,也是很可取的。他在口诛笔伐变节朝士的同时,对于自己的失节行为,更是时刻进行着正义的拷问、由衷的忏悔、灵魂的救赎,愈到晚年就愈是哀痛欲绝,悔愧交加,这与同时期也是著名诗人的钱谦益形成鲜明的对比:钱的变节降清是主动的,而吴则带有被动性质;钱在相当长的时间内,没有一点悔愧的表示,吴则从不掩饰、辩解、推卸。他在《自叹》《过吴江有感》《过淮阴有感》、组诗《遣闷》《贺新郎·病中有感》词和本诗中,尽多"故人慷慨多奇节;为当年沉吟不断,草间偷活","脱屣妻孥非易事,竟一钱不值何须说","我本淮王旧鸡犬,不随仙去落人间","忍死偷生廿载余,而今罪孽怎消除?受恩欠债应填补,总比鸿毛也不如"之句,深刻进行思想解剖,展示自己的悔过真心。知耻,是良知的先导;悔过,是立新的前提。这对于后人正确对待人生道路抉择,在生与义、去与就、取与舍方面,坚守节操,不忘初心,具有启迪和警示作用。

吴伟业与钱谦益、龚鼎孳并称"江左三大家",又为娄东诗派开创者。长于七言歌行,初学"长庆体",后自成新吟,称"梅村体"。《四库全书总目》评说:"其少作大抵才华艳发,吐纳风流,有藻思绮合、清丽芊眠之致。及乎遭逢丧乱,阅历兴亡,激楚苍凉,风骨弥为遒上。"

寒操劲节

书事（三首选一）

黄宗羲①

初晴泥路觉槃跚,听彻松涛骨亦寒。
莫恨西风多凛烈,黄花偏奈苦中看。

《书事》组诗,为黄宗羲晚年作品。诗共三首,此为其一。

作者认为,诗是一种情感的结晶,"情者,可以贯金石,动鬼神";"夫诗之道甚大,一人之情感,天下之治乱,皆所藏纳"。在这首托物言志诗中,作者正是借助咏赞菊花,抒发自己丰富的情感。就大的方面说,颂扬关乎国家治乱兴衰的临危不改初心、珍重气节的民族志士;就小的方面说,展示一己之怀抱,彰显凌霜傲雪、坚贞不屈的意志与节操。

诗中说,雨后初晴,走在泥路上觉得步履蹒跚,听着松涛轰响更感到透骨冰寒。但是,我们不要怨恨那西风过于凛烈,菊花只有在酷寒中,才最耐人赏玩。"黄花偏奈（此处同"耐"）苦中看",体现了全诗的主旨。诗中通过塑造不畏环境艰苦,迎风怒放,散发着幽香的黄

---

① 黄宗羲(1610—1695),字太冲,号南雷,一号梨洲。明亡奉母返里,埋头著述,屡次拒绝清廷征召。为著名思想家、史学家,亦工诗文。

花的形象,表达了自己在艰难困苦中,依然坚定信念,不向困难低头的志向。

　　写作此诗时,作者已七十五岁,晚境苍凉,出语冷峻。吟咏一过,读者会跟随着年迈的诗人一道,耳畔响彻凄神寒骨的凛冽西风,眼中呈现出凌霜傲雪的松菊意象,心头攒聚起痛彻心肺的伤痛,溢满凄苦、悲凉之感。

尽信书不如无书

读史志愤

李渔[①]

一部廿一史,谤声如鼎沸。
不特毁者冤,誉者亦滋愧。

诗人说,这二十一部史书("廿一史",指"二十四史"中去掉《旧唐书》《旧五代史》和《明史》),一经编出,就谤声不断,原因在于不尽真实,也有失公正。不仅书中所批评("毁")的含冤负痛,即便是受到赞誉的,也会心感不安,滋生愧怍。

为了解读本诗,可以参看作者在《笠翁别集·弁言》中的一段话:"子舆氏(孟子)曰:'尽信《书》(《尚书》)则不如无《书》。'旨哉斯言!是《书》之不可信也。三代(夏、商、周)已然,矧(何况)秦汉以后者乎?……予独谓'二十一史',大半皆传疑之书也。"

周武王继位第四年,得知商军主力远征东夷,国都朝歌空虚,即率师伐商,进至牧野。商纣王闻讯,遂调动少量的防卫兵士和大批奴隶,前往迎战,结果遭致惨败。对此,《尚书·武成》篇记载:"受(纣

[①] 李渔(1611—1680),号笠翁。明末清初文学家、戏剧家、美学家。

王)率其旅如林,会于牧野。罔有敌于我师(没有人愿意和我为敌),前徒倒戈,攻于后以北(向后边的自己人攻击),血流漂杵。"生活于战国中后期的孟子,认为其记载失真,说:"尽信《书》则不如无《书》。吾于《武成》,取二三策而已矣。仁人无敌于天下,以至仁伐至不仁,而何其血之流杵也?"(《孟子·尽心》)这一论断得到了后世学者的认同。宋代理学家张载、朱熹等,还就此做了进一步发挥,强调读书要"有疑",且在"无疑处有疑";要"濯去旧见,以求新意"。因为怀疑方能开启觉悟之门,"疑乃可以启信"。

李渔所谓"传疑之书",可从古籍《公羊传》"所见异辞,所闻异辞,所传闻异辞"之说中得到印证。其实,成文的历史,又有哪一种不是间接的传闻呢?东汉王充《论衡·艺增》篇,专门揭露了古代一些典籍"增溢其事以致失实"的现象:"世俗所患,患言事增其实,著文垂辞,辞出溢其真,称美过其善,进恶没其罪。何则?俗人好奇,不奇,言不用也。故誉人不增其美,则闻者不快其意;毁人不益其恶,则听者不惬于心。闻一增以为十,见百益以为千。"

在古代经史中,经常会碰到所谓"事实正确"与"义理正确"的矛盾冲突,这就必然导致史官不能如实记述的倾向。《春秋·僖公二十八年》记载:"天子狩于河阳"。狩者,巡所守也,意为巡行视察诸侯为天子所守的疆土。真实情况却是:"五霸"之一的晋文公,命令诸侯国以朝周天子名义,在河阳举行一次会盟活动,同时也召呼周天子到场。出于"为尊者讳",便做了如上表述。

伟大的思想家与革命导师,关于正确的史观多有论述。鲁迅先生指出:"历史上都写着中国的灵魂,指示着将来的命运,只因为涂饰太厚,废话太多,所以很不容易察出底细来。正如通过密叶投射在莓苔上面的月光,只看见点点的碎影。但如看野史和杂记,可更容易了然了,因为他们究竟不必太摆史官的架子。"李大钊先生有言:"二十四史"等等,"都是很丰富很重要的材料,必须要广搜,要精选,要确考,要整理。但是,它们无论怎样重要,只能说是历史的记录,是研究历史必要的材料,不能说它们就是历史。"毛泽东主席讲得最为斩截、透彻:"一部二十四史,大半是假的,所谓实录之类也大半是假的。但是,如果因为大半是假的就不读了,那就是形而上学。不读,靠什么来了解历史呢?反过来,一切信以为真,书上的每一句话,都被当作证实历史的信条,那就是历史唯心论了。正确的态度是用马克思主义的立场、观点和方法,分析它,批判它,把被颠倒的历史颠倒过来。"(引自芦荻《毛泽东读二十四史》)

白发贵如金？

喜陈子罢役

函可①

从此沙边好放吟,数茎白发抵黄金。
相逢仙客休言药,若教还童苦不禁。

  白发,是古代诗人惯用的意象,有的惊呼:"未料容鬓间,蹉跎忽如此!"有的哀叹:"势如秋后雨,一度一凄凉。"有的由白发联想到与死为邻:"俯仰天地间,能为几时客""莫欺白发无言语,此是黄泉寄信人";当然,也有人采取豁达心态,吟唱"故人大半黑头死,老子何妨白发生",以"白发不生泉下客"自慰,还有人从积极方面着眼,作发愤、励志方面的文章,说是"留作鉴中铭,晨夕思乾乾"。可是,像函可这样,借着被罪流放中的难友("陈子")由于年迈发白而解除徭役("罢役")这件事题诗致贺,却是绝无仅有的。
  诗中劈头就说,看来几根白发,简直贵似黄金,借此可以解除沙边的徭役,能够自在地放怀歌吟了。说到这里,他还觉得意有未尽,于是,又补上一层意蕴——奉劝难友:今后即便是得遇仙人,你也不

---

① 函可(1611—1660),明末清初僧人。因著南明私史《再变记》,顺治初被清廷流放沈阳。

要向他讨取长生不老的药方;那样,返老还童了,必将重新恢复劳役,那可真的是痛苦难禁的。

借题发挥,语中带刺,曲折地流露出怨悱情绪。而凄苦之怀却以雅谑出之,令人忍俊不禁,更觉寄慨遥深。

义理昭然

题城墙

江阴女子

雪骻白骨满疆场,万死孤忠未肯降。
寄语行人休掩鼻,活人不及死人香。

据清代史书《小腆纪传·阎应元传》记载,1645年春,清兵进逼江阴(在今江苏),城内百姓推举典史陈明遇为主导,率众起兵抗清。明遇遂邀前任典史阎应元共谋战守之策。全城民众在阎、陈的督率下,勠力同心,固守八十一天,杀死大量清兵。城破之日,清兵屠城,民众尸体填满街巷、池井。后有一女子题此诗于城墙上。

诗中前两句说,万死孤忠的英烈,据城固守,誓死不降,结果遭到清兵残酷屠杀,以致那些死难者白骨成堆,腐肉("雪骻")发出刺鼻的气味。后两句作出评论,表明作者对为抗击残暴而捐躯的烈士的无限崇敬和对无耻投降、苟活偷生者的极端蔑视。"活人不及死人香",说的是英烈们必将光照史册,流芳千古;而那些贪生怕死的无耻之徒,已被钉在历史的耻辱柱上,遗臭万年。作者从道义上、气节上立言,透过表象揭示本质,富含哲思理蕴。

清初流人函可《即事》诗云:"身死固足悲,身辱亦足耻。与其辱以生,毋宁饥以死。"诗句简捷,但其张扬舍生取义、重视节操的精神,却义理昭然,寓意深刻。同江阴女子的诗一样,掷地作金石声,同样具有不朽的价值。

从江阴女子题诗,又联想到入清以后传于民间的"男降女不降"之说。北京大学夏晓虹教授《历史记忆的重构》一文,对此论析甚详。这里只从中引述两则故实:1904 年《警钟日报》载文《妇女不降》,大力表彰明季妇女超逸前代之处,即在民族意识的觉醒。"秦汉以降,妇女以奇节著闻者,彪炳于史册,然卒未有为民族殉身者。唯明季妇女,其志尤坚"。这种不屈而死的女子与降志辱身的男子形成鲜明的反差。还有高增(大雄)发表于《女子世界》上的诗,题为"明季寇乱,妇女不辱而自杀者无算,为纪诗以嘉之";诗为七绝:"忍辱毋宁先自杀,尘寰解脱去堂堂。吾侪还忆前言否?共说'男降女不降'。"

船工智语

闻舟师相语

高珩①

天风争顺逆，人事有参差。
昨我停舟处，知君得意时。

诗人巧妙地运用船工交谈的形式，即事明理，情理兼至，活泼生动。清代诗人沈德潜在《清诗别裁集》中评论："读此诗，可以释人矜躁。"意思是恃才自负之徒，可以从中获取一些教益，从而矜平躁释，知所惕戒。

船工们议论说，同是行船，由于方向不同，有的趁了顺风，有的就遇上逆风。人事也是一样，贫富不均，祸福不同，有的行时，有的倒霉。还说行船吧，昨天我就遇上了顶头风，万般无奈，只好停泊；可是对你来说，恰好是顺风，一帆疾驶，最得意不过了。

清代中叶，诗人赵翼写过一首《顺风歌》，也是借助舟师话语，阐释与此相类似的道理："深心最是老艄公，劝客休为顾盼雄。正饱帆时江一曲，顺风又作打头风"。

---

① 高珩(1612—1697)，崇祯年间进士，选翰林院庶吉士；清顺治朝授秘书院检讨，后晋升吏部、刑部左侍郎。生平所著，不下万篇。

两首诗蕴含着同样的哲理：一是事物矛盾的多样性、复杂性，同处一种环境、条件，在彼为顺境，在此却为逆境；二是事物成长、发展，往往受到环境、机遇等客观因素制约，并非都是主观努力造成的；三是环境是不断变化的，所谓"三十年河东，三十年河西"；顺风顺水的大可不必得意忘形，而遭遇困难、身处逆境的，也应振作精神，不必灰心丧气。

这样丰富而深刻的道理，并非出自饱学之士或哲人之口，而是体力劳动者凭借自身体验与阅历领悟出来的。这使人想起清人袁枚的一首诗："阅历名场四十春，一言常自说津津。久居轩盖无佳士，不读诗书有俊人。"

斗士丰姿

绝句(六首选一)

王夫之①

半岁青青半岁荒,高田草似下田黄。
埋心不死留春色,且忍罡风十夜霜。

　　这是一首寓意深刻的咏物诗,诗人以草喻人,托物言志。说,小草的命运是残酷的,半年青翠,半年枯荒,一当寒风掠地,不分高阜低地,都是无草不黄;而它们的生命力又是异常顽强的,环境尽管无比恶劣,它们总能年复一年地长存下去。其中的根本诀窍,就是把生命的根基与萌发的活力,深深地埋藏在根系里。"埋心不死留春色",这样,纵使遭遇寒风烈雪,也可以安然度过。不妨暂时忍耐一下,等待春天来临,最后照样能够发芽吐绿,茁壮成长。"且忍罡风十夜霜"中的"罡风",原是道家语,用来称呼天空极高处的风,这里指强烈的风。"且忍"二字,极富感情特色。意思是暴力再强大,只要能忍耐一阵子,终究可以度过。

---

① 王夫之(1619—1692),明清之际著名思想家,晚年隐居衡阳石船山,世称船山先生。清代学者刘献廷称:"王夫之学无所不窥,于《六经》皆有说明。洞庭之南,天地元气,圣贤学脉,仅此一线。"

诗人年轻时曾积极投身反清起义,失败后,为保持名节,遁世隐居,对于朝廷的强制剃发和奉新出仕,以死相拒。作为前朝的遗老,他在六十七岁时让人画像,题句云:"凭君写取千茎雪,犹是先朝未死人。"言为心声。联系到这一系列思想修为,再来解读本诗,就可以加深理解其深沉的意蕴。

当代学者陈志明在赏评本诗时指出:"这是诗人对抗清志士的鼓励,也是诗人自己的立场、态度的剖白。王夫之本人即是一个'埋心不死'、永不屈服的斗士。"诗中"所咏者草,所写者心,寓情于物,富于象征性"。"王夫之在《夕堂永日绪论》中说:'无论诗歌与长行文字,俱以意为主,意犹帅也。'又说:'烟云泉石,花鸟苔林,金铺锦帐,寓意则灵。'这两段话,也正好是对这首有所寄托的小诗所作的恰当说明。"

西施心结

吴宫词

毛先舒[①]

苏台月冷夜乌栖,饮罢吴王醉似泥。
别有深恩酬不得,对君歌舞背君啼。

这首咏史诗的主角是美女西施。春秋末期,越国称臣于吴国,越王勾践卧薪尝胆,以谋复国;并采纳谋臣范蠡之计,将西施献给吴王夫差,用以迷惑吴王。吴王果然中计,对她百般宠爱,沉湎酒色,不理朝政。诗中前两句,讲的就是这种情况。"苏台"即姑苏台,为吴王宴饮处。"夜乌栖",李白《乌栖曲》中有"姑苏台上乌栖时,吴王宫里醉西施"之句,毛氏化用此成句,对全诗起到衬垫作用。

关键之处在后两句,为全诗最精彩的所在。诗人深入到西施的内心深处,揭示其心理矛盾。西施入吴,担负着双重角色,也就是以双重身份、双重人格出现。作为颠覆吴国的政治工具,她时刻记挂着对吴王"惑其心而乱其谋"的庄严使命;而作为心地善良的年轻女性,褪除复国英雄的政治符号,完全以一个活生生的普通人面目出

[①] 毛先舒(1620—1688),明末诸生。入清,不求仕进,从事音韵学研究。能诗擅文,与毛奇龄、毛际可齐名,时称"浙中三毛,文中三豪"。

现,又时刻感受到吴王对她的真诚爱恋,不能不产生感恩之情。这样,就深深陷入了情感的冲突。于是,在吴王面前歌舞承欢,而背着吴王却又为自己的欺蒙而痛哭流涕。

历代吟咏西施的诗文难以计数,而毛先舒却能从全新的视角,别出心裁,做出独特的分析、论断,因而受到著名诗人王渔洋的赏赞,说:"意未经前人道过"。

到了乾隆时期,大诗人袁枚踵其意而增华,从"捧心而颦"方面做文章,有诗云:"吴王亡国为倾城,越女如花受重名。妾自承恩人报怨,捧心常觉不分明。"诗人站在西施的角度,作内心的独白:说我身受厚恩,却为越王报怨,终竟不能心安理得。与此同时,还有女诗人陈长生《题捧心图》:"眉锁春山敛黛痕,君王犹是解温存。捧心别有伤心处,只恐承恩却负恩。"虽也清丽可读,但与毛、袁相较,则已瞠乎其后矣。

神闲就是神仙

月下演东坡语(二首选一)

汪琬①

自入秋来景物新,拖筇放脚任天真。
江山风月无常主,但是闲人即主人。

诗人晚岁闲居,秋宵手扶竹杖("拖筇")出游,清风拂面,月色皎洁,般般景物纷呈眼底,心胸为之豁然。这时他记起了东坡先生《前赤壁赋》中的那段话:"天地之间,物各有主,苟非吾之所有,虽一毫而莫取。惟江上之清风与山间之明月,耳得之而为声,目遇之而成色,取之无尽,用之不竭。"心有所感,遂加以发挥演绎("演东坡语"),进一步阐明了审美主体的思想精神状态对于感知客体、获得美感的决定性作用。

东坡先生创造性地指出,天生万物,都是各有其主的,大自然中惟独清风、明月属于一切人,人人都可得以享用,而且取之不尽,用之不竭。汪琬在此基础上,作了进一步的引申与发挥——江山风月并无常主,就是说,它的主人可以随时发生变化,即便是同一个人,也会

---

① 汪琬(1624—1691),顺治年间进士,康熙时授翰林编修,纂修《明史》。工诗文,古文与侯方域、魏禧并称三大家。

随着情况的改变而改变。唯一不变的是,只有闲人(根本在于心定神闲),才能成为江山风月的真正主人,也就是俗话所说的"神闲就是神仙"。否则,即使你整天投闲置散,放浪逍遥,如果心为物役,患得患失,照样还是与江山风月无缘。诗人演东坡语另一首七绝的结束两句是:"人间何处无风月,欠个闲人似我闲",说的也是这个道理。

当代学者陈志明指出:"诗人从亲身的生活体验中提炼出来的'但是闲人即主人',富于哲理性,从物我关系上说明了审美主体的状况对于把握客体,获得美感的重要性。对审美过程中主客体关系的探讨,在先秦以来的美学思想中早已有之,但诗人并不是在作理论上的简单重复,而是以极富于情韵的笔调,通过诗的意境加以表现。由于抒情、议论的成分与叙事相结合,实写与虚写相统一,全诗就显得既亲切感人,而又丰富深刻。"

宦海惊涛

连遇大风,舟行甚迟,戏为二绝(其二)

汪琬

怊怅篙师色似灰,数重雪浪竞欢豗。
老夫别有伤心处,新自风波宦海回。

在这首纪游诗中,诗人写了一段航程中的惊险经历。舟行江上,连续遭遇狂风,一重重如山雪浪,汹涌澎湃,猛兽般地竞相喧腾咆哮("竞欢豗"),一叶轻舟随时都有倾覆的危险。在这种情态下,诗人以大写意手法,刻画了两个当事者的形象:久历沧海、风浪惯经的篙师,此刻也面如土灰,大惊失色,非常紧张("怊怅"),看得出来势态的危急;而自称"老夫"的诗人,心里却在想:这大自然的险境,确实令人心惊胆战,不过,比较起刚刚经历的、令我心伤气沮的宦海风涛,那还又在其次了。诗人用"伤心"而不用"惊心"之类词语,大可玩味。惊,不过是惧怕;而伤,则是更多的伤情、绝望,所谓"哀莫大于心死"。

诗人之所以作如是想,缘于封建时代官场的腐败、恶浊。人际关系复杂,尔虞我诈,互相倾轧,翻手为云,覆手为雨,而一遭构陷,轻则贬谪革职,重则坐牢杀头。清朝吏部官员韩春湖写过这样一首俗曲:

"有多少宦海茫茫吁可怕,那风波陡起天来大。单听得轿儿前唱道喧哗,可知那心儿里历乱如麻,到头来空倾轧。霎时间,开美缺锦上添花,蓦地里,被严参山头落马。"形象地反映了清代官员普遍存在的对仕途险恶的恐惧心理。

近日读到一则现代著名历史学家邓之诚先生的评论:"汪琬才名早著,顾(但)一官累踬,顺治七年、康熙元年两为人诬告,系狱困顿","一生遭遇,丰少屯多(《周易》中两种卦象:丰,吉利、无咎;屯,成长困难),故其诗多悲苦之音"。联系到他一生中的厄运与困境,对于这首诗就很容易理解了。

诗的艺术表现手法十分高妙。按照事物发生顺序,应是风浪逞威于前,船工变色于后,而诗人为了突出所遇险境的异乎寻常,同时也便于为后两句做出铺垫,有意地把一、二句颠倒着说;而三、四句与一、二句,都是人物(篙师与老夫)在前、事态在后,恰相映衬,顾盼生姿。

真情至上

次韵答徐紫凝

陈恭尹[①]

文章大道以为公,今古何能强使同?
只写性情流纸上,莫将唐宋滞胸中。

从总体上看,清初诗人大致分尊唐与宗宋两个阵营,取径不同,各有面目。对于文章,大体上也与此相似。陈恭尹反对这种以时代论诗文优劣的主张。在他看来,尊唐也好,宗宋也好,都只是写诗为文的途径,而绝非目的。"大道为公",乃其根本;抒写真情,最为关键。本诗的后两句,就是阐明这一文学主张的。

他在《屈翁山文抄序》中,对此有详细的论述:"夫文之为用,所以写天地万物之情,而传于人;述古今万事之变,而垂于后。其写物也,须眉毕见,生气跃然;其述事也,治乱有源,脉络井井。使读者如身在其中,喜者欲舞,哀者欲泣,乐者欲歌,足以示劝惩而起顽懦。苟能如是,不必问其为秦为汉,为唐为宋,皆天下之劲兵也,而孰敢与之争?"

[①] 陈恭尹(1631—1700),著名抗清志士陈邦彦之子。清初诗人,与屈大均、梁佩兰同称"岭南三大家"。工书法,有"隶书高手"之称。

对于为诗,他也同样主张抒写真情,凸显个性,反对依傍前人,拘泥于时代,将某种诗的形式、风格奉为模板的风气;尖锐地指出:"模拟补纳者,厨人百和之汤也",绝对谈不上真正的美味。论者认为,清初诗人正是由于在表现真情、张扬个性,各极其所诣而不相互依傍方面形成了共识,所以能够超越元、明,开创了清诗繁盛的新局面。

不仅在当时,这种正确主张也获得后世诗界的赞同。近代南社创始人之一姚光,尝作《论诗》绝句云:"作诗底用分唐宋,独写情怀见性灵。我是天机随意触,荒江樵唱要谁听?"其为诗大抵皆发自性灵,不相附丽,"多于酒后梦醒之余,吹箫说剑之顷,晓风残月之外,山光波影之间,闲吟低唱,忽然而得之"。(江南名士高吹万语)

早知如此　何必当初

落花

宋荦①

昨日花簌簌,今日落如扫。
反怨盛开时,不及未开好。

　　古代文人见落花而伤怀,大多因移情所致,看到花谢花飞的苍凉场景,往往想到自己的境遇,感叹青春易逝者有之,悲慨人生无常者有之,忧思红消香断、落花成寂者亦有之;有些人甚至把爱情的流逝、生命的困顿、理想的破灭,都和落花联系起来。诗人宋荦也是一位多情种子,当他面对庭前开得热热闹闹的花树,不过两天时间,便落英缤纷,枝空如扫,不禁悲从中来,顿生一种凄婉、怨怼之情,觉得与其这样繁华转瞬成虚,还真不如索性就不开放为好——如果没有当初的粲然盛开,自然也就不会有现在这般凋残败落了。
　　一般的诗都是恨怨零落,而宋荦的诗却是恨怨花开,这比宋代诗人辛弃疾的"惜春长怕花开早,何况落红无数",更推进了一层,表露出一种"早知如此,何必当初"的决然心态,真是生面别开,奇绝妙

---

① 宋荦(1634—1713),任江苏巡抚时,被康熙帝誉为"清廉为天下巡抚第一"。尊崇宋诗,创作上常常规仿苏轼。

绝。不过，它的发明权应该记在晚唐诗人王枢的账上，他在落花七绝中，早就吟出："花落花开人世梦，衰荣闲事且持杯。春风底事轻摇落？何似从来不要开！"诗人开罪于春风，问得明快，结得痛快。

王枢之作原是一首和诗——晚唐严恽的《落花》诗："春光冉冉归何处，更向花前把一杯。尽日问花花不语：为谁零落为谁开？"这也是一首好诗，"花不语"、"为谁开"云云，皆属未曾经人道语。（至于"泪眼问花花不语，乱红飞过秋千去"之句，那是后人的了。）而王枢的过人之处，在于他能跳出原诗的窠臼，另辟蹊径，在佳作如林的落花诗中，拓开一方新的天地，从而获得了创新性的成果。

仁智之言

寄家书

张璨①

南轩北牖又东扉,取次园林待我归。
当路莫栽荆棘草,他年免挂子孙衣。

作者在家书中,首先历数庭园中的轩亭楼舍,说随便什么设施、种种条件都备齐了,就等待着我挂冠归里了。像通常写信一样,这开头两句不过是个由头;作者真正所要说的还在下面。他郑而重之地嘱托家人,切不可在道路两旁栽种荆棘之类带刺的植物。为什么呢?答案却是:免得将来挂破子孙的衣服。作诗嘛,需要用形象的说法,真正的含义,是告诫人们要亲仁善邻,与人为善;不要无端结怨,更不要做恶行、干坏事、启祸端,以免给子孙带来无穷后患。这种既仁且哲的嘱托,乃全诗之主旨,体现了作者深心的所在。

诗中"栽"字,用得十分考究,是指主动作为,而不是被动应对,体现"种善因,得善果""栽蒺藜者得刺"之深意。这是大有功于世道人心的。为此,清代诗人袁枚在《随园诗话》中,对本诗有四字评语:

---

① 张璨,清初任湖南廷尉,为人威武,议论风生,文武兼备,能赤手捕盗,亦能诗文。

"言可风世。"意思是,张璨的这首诗,有助于端正颓唐的世风,鼓励淳厚的民俗。

《韩非子》中记载这样一个故事:"阳虎对赵简子说:'我曾亲自培养一批人才,但当我遇到危难时,他们都不帮助我。'因而叹道:'虎不善树人。'赵简子说:'树桔柚者,食之则甘,嗅之则香;树枳棘者,成而刺人。故君子慎所树。'"

泣血悲歌

题荆山石壁

陆次云[①]

寄语山灵听啸歌,连城再刖叹如何。
人间碧眼应难遇,莫产琼瑶误卞和!

在这首咏史诗中,诗人借荆山题壁,寄语山神,抒发其对世间真才不被识别、重用的悲慨,表示出深重的失望和强烈的不满情绪。荆山,在今湖北南漳县西部,山有抱玉岩,传为楚人卞和得璞处。

诗的本事是,春秋时楚人卞和,在荆山发现一块玉璞,当即认出这是一块真正的美玉,于是,便把它献给了楚厉王。厉王找来玉工察看,玉工说是一块顽石,厉王遂以欺诳罪,砍掉了卞和的左脚。待到武王即位,卞和拄着拐杖又去向皇帝献璞。玉工仍然鉴定为石头,结果,武王又把卞和的右脚截去了。(诗中的"再刖",指此。)楚文王登极后,卞和想到忠而获罪,识宝无人,便抱着璞玉痛哭于荆山之下,整整哭了三天三夜。文王得知后,命令玉工把这块石头剖开,果然是一块稀世的美玉,制成玉璧,名之为"和氏璧"。战国时,为赵惠文王所

[①] 陆次云(1636?—1690),以拔贡生官江阴知县,有善政。载酒征歌,风雅好客,一时名士至江阴者,必过访燕集。

有，秦昭王愿以十五城易之。由于这块宝玉价值连城，后遂称为"连城璧"。

宋初诗人钱惟演，曾以"泪"为题，吟诗寄慨："荆王未辨连城价，肠断南州抱璧人。"而到了陆次云的笔下，就变得更为激切了，他把泪水化作啸歌。啸歌的古意：撮口作声曰啸，吟咏曰歌。《诗经·小雅》有"啸歌伤怀"之句。说是啸歌，实则唱的是令人哀痛欲绝的悲歌：山神（"山灵"）啊，你可再不要出产琼瑶美玉了，人间已经遇不到能够识别真才的慧眼（"碧眼"）了，到头来，徒然使得卞和之类的"愚人"跟着遭灾受罪，那又何必呢？

写这首诗，诗人是怀着满腔悲愤、万种哀思的，但慑服于当时文字狱的淫威，只好压住火气，转弯抹角地申明态度。话说得很巧妙，很委婉，但批判的力量还是十分强大的。妙在借题发挥，意在言外，耐人寻味。

为千古文人吐气

疑冢

陆次云

疑冢累累漳水头,如山七十二高丘。
正平只有坟三尺,千古安眠鹦鹉洲。

诗中写了三国时期两位历史人物的坟墓。一是遍布在漳河岸边的曹操的疑冢,一是鹦鹉洲畔的祢衡(字正平)墓。整个文章就是从这里作出来的。

冢,就是埋骨其中的坟墓吧,何来"疑冢"?原来曹操生性多疑,担心死后会遭仇人掘墓报复;而他本人也曾有过盗掘汉梁孝王墓以筹军饷的经历,于是,临终前精心策划,置备七十二具棺材,在安葬的那一天,从邺城的东西南北四门,同时抬出、安葬。这样,在漳河边上便出现了七十二座累累高耸的土丘,世称"疑冢"。

"疑冢"之说,近世学者多持怀疑以至完全否定态度。但自宋代以来,从王安石开始,陈昌言、京镗、罗公升、范成大等诗人却都把它作为一个热门话题,而且坐实其事。就中以俞应符的七古,批评得最为激烈:"生前欺天绝汉统,死后欺人设疑冢。人生用智死即休,何有余机到丘垄。人言疑冢我不疑,我有一法告君知。直须发尽冢七二,必有一冢藏君尸。"诗人终究还是天真,其实,完全有可能七十二座全是假的。

清人陆次云的诗,却是从一个崭新的视角,拉着两个墓主对比,说曹操生前机关算尽,死后还忧心忡忡,用心良苦。"累累"二字,一是说明疑冢之多;二是形容疑冢之高。诗人说,你看人家祢正平,只有三尺孤坟,却是千古安眠,这与曹操死后也不得安宁,恰成鲜明的对照。

祢衡,汉末名士。博闻善辩,恃才傲物。建安初年,孔融荐之于曹操,但他称病不肯去。曹操有意羞辱他,封为鼓手,却反被祢衡裸身击鼓,痛骂一番。曹操气愤不过,原想一刀斩之,但又怕遭人讥议,就采取借刀杀人的策略,把他遣送给刘表,刘表也受到了祢衡轻慢,但也不愿担杀名士的恶名,便又把他送给江夏太守黄祖,最后死在黄祖手中。"诗仙"李白有一篇题为《望鹦鹉洲怀祢衡》的古诗,开头四句说的就是这段故实:"魏帝营八极,蚁观一祢衡。黄祖斗筲人,杀之受恶名。"说的是,曹操经营天下,显赫一时,而祢衡却以蚁类视之,足见其个性之傲岸和胸襟的博大。黄祖乃才识短浅之徒,心胸狭隘,不能容物,结果因杀害祢衡而获得恶名。

陆次云的诗,把曹操的"疑冢"和祢衡的三尺孤坟作为引线,最后牵引出它们的墓主。诗人对横绝一世、雄视八极的魏武帝和无权无势的小人物、不过是一介书生的祢正平,通过巧妙对比,进行一贬一褒,做出历史性的评价。清人沈德潜评论此诗时,郑重地写下了六个字:"大为文人吐气。"堪称剥皮见骨,一语破的。

故交不忘

钓台(四首选一)

洪昇①

逃却高名远俗尘,披裘泽畔独垂纶。
千秋一个刘文叔,记得微时有故人。

诗中讲述了汉光武帝刘秀(字文叔)与隐士严光(字子陵)的故事。严光少有高名,曾与刘秀一同游学,及刘秀即帝位,便隐身桐庐县富春江畔的钓台,避而不见。"远俗尘""独垂纶",说的就是上述情况。而光武帝却是不忘故旧,始终思念严光,却遍寻不得。后有人告知:"有一男子,披羊裘,钓泽中"。光武帝遂派人往请,经过数次周折,才勉强请来。二人共叙友情,甚至同榻而眠,但严光仍是不肯入仕,坚持渔钓终生。

后两句,诗人赞赏光武帝富贵不忘故交、珍视友情的可贵精神。其中有两个关节点:一是"千秋一个",千年一遇,极言其少,因而尤

---

① 洪昇(1645—1704),字昉思。清代著名戏剧家、诗人。生于世宦之家,北京国子监肄业,科举不第,白衣终身。因其名作《长生殿》传奇在佟皇后丧期演出,被革去监生,后返回故里。十五年后,曹寅在南京排演全本《长生殿》,洪昇应邀前去观赏,返回钱塘途中,于乌镇醉酒,失足落水而死。

为可贵;一是"记得微时(卑贱而未显达之时)有故人"。中国古代就有"贫贱之交不可忘,糟糠之妻不下堂"的名言警语。可是,世人多是"贵易(更换、改变)交,富易妻",只能共苦,不能同甘,可与共贫贱,而不能同富贵。刘秀虽然贵为君王,仍然能够不忘老朋友,所以值得称赞。

与此形成鲜明对比,"贫贱交情富贵非"(黄庭坚诗句)的事例,史上也有记载。秦末农民起义领袖陈涉为王之后,从前几位一起佣工的老伙伴前来见他,直呼他的名字。宫门守卫不肯通报,他们便趁陈王外出时,把车辆拦住,陈王便把他们载回王宫。几个人在宫中出出进进,日益随便、放肆,常常跟人讲些陈涉的一些旧事。有人就对陈王说:"这几个人愚昧无知,专门胡说八道,有损于您的声望与威信。"于是,陈王就把他们杀掉了。见此情景,陈王的故旧知交便都纷纷离去,再也没有人亲近他了。(《史记·陈涉世家》)

光武帝在位三十三年,大兴儒学,推重气节,厚待功臣,崇尚节俭。司马光在《资治通鉴》中说:"自三代既亡,风化之美,未有若东汉之盛者也。"

颂里藏锋

马当山

潘耒①

飞帆如箭劈流开,遥奠江神酒一杯。
好风肯与王郎便,世上惟君不妒才!

史载,初唐文学家王勃前往交趾看望被流放的父亲。他从故乡龙门出发,一路沿黄河、运河乘舟南下,再溯江而上,经芜湖、安庆,九月初八这天,抵达马当。听说滕王阁重修工程告竣,洪州都督阎伯屿将于重阳节邀集宾朋,盛宴庆祝。他十分珍视这次以文会友的机会,可是,马当地处江西彭泽县东北,离洪州(南昌)尚有七百里之遥,一个晚上是万万不能赶到的。这时,奇迹发生了,据说,因为有江神相助,一夕间,神风飒飒,帆开如翅展,船去似星飞,次日清晨,就系舟于滕王阁下,有幸躬逢盛会。于是,"敢竭鄙诚,恭疏短引,一言均赋,四韵俱成",那篇千秋杰作《滕王阁序》,在这位旷世奇才笔下应运而生。

"往事越千年"。诗人潘耒这天恰好船过马当,见一帆如箭,乘

---

① 潘耒(1646—1708),康熙十八年,应试博学宏词科入选,授官翰林院检讨。诗笔畅达,喜发议论。

风疾驶,劈流破浪前行,遂联想起当年王勃幸得好风相送的故实,于是,浇酒一杯,遥祭江神。说,世间到处都是嫉贤妒才之人,只有您是例外,肯为王勃("王郎")提供方便,从而成就了千秋盛事。

  这是一首江风的颂歌。然而,颂里藏锋,意在言外——诗人在颂赞江风的同时,却隐含着对于当时知识分子的艰难处境、悲惨命运,以至整个社会风尚、世道人心之险恶的无情揭露,对于封建社会制度、人才机制的尖利批判。试想,如果在这个世界上,只有江风不妒才,只有江风肯为旷世才人提供方便,那么,"日暮途远,人间何世"?(庾信《哀江南赋序》)整个社会岂不是太阴暗、太残酷、太可悲了!

无谓的拼争

蚁斗

查慎行①

国手围棋分黑白,村儿斗草计输赢。
转头一笑全无味,不解当场抵死争。

诗中列出古代流传下来的两种游艺活动:一种是两人对阵的策略性的围棋游艺(古时称为弈);一种是称作斗草(也叫斗百草)的古代民间游戏——儿童们竞采花草,比赛多寡、优劣,常于端午节举行。诗人从观看蚂蚁争斗、打架,联想到高档的国手对弈,低俗的儿童斗草,当场都是<u>丝丝计较</u>,步步争夺,像煞有介事似的;可是,过后转过头来一想,觉得实在并没有什么兴味,真不懂得当时抵死相争究竟是为了什么。

类似的诗,还有一些,像王安石的"莫将细事扰真情,且可随缘道我赢。战罢两奁分白黑,一枰何处有亏成";白居易的"焦螟杀敌蚊巢上,蛮触交争蜗角中。应似诸天观下界,一微尘内斗英雄"。都是过来人的解悟。

---

① 查慎行(1650—1727),号初白。康熙年间进士。诗学宋人,功力颇深,善用白描手法。

人间事怕回头想。查氏诗中有一个关键词,就是"转头"二字,它与"当场"是相对应的,说的是,认识的升华需要拉开一定的时空距离——事后去看,或者站在高处去看;而身在其中,囿于视野的局限与功利的考量,往往会沉酣不悟,所谓"当局者迷"是也。

明代"状元学者"杨升庵,正是基于这一点,才在晚年创作的《临江仙》词中,抒发了一番风波后的感慨。其中有"滚滚长江东逝水,浪花淘尽英雄,是非成败转头空。青山依旧在,几度夕阳红"之句,里面渗透着他从自身的颠折遭际中所获得的真切、实际的生命体验。同样有个"转头"过程。此刻,开始以淡泊超然的心境回思往事,想到当年由于"议大礼"案触怒了嘉靖皇帝,结果远戍云南三十余年。当年拚死相争的皇上称生身父亲为皇考还是皇叔的所谓"大礼议",现在看来,不过是"相争两蜗角,所得一牛毛",真个是"古今多少事,都付笑谈中"了。

盛极而衰

二月朔日碧桃盛开

查慎行

无数绯桃蕊，齐开仲月初。
人情方最赏，花意已无余。

作为一位诗人，查慎行对于道论、艺术论（或今天所说的哲学、美学）未必做过刻意的研究；但他在这首寥寥二十字的小诗里，却能借助二月初一碧桃盛开这一普通景象，出色地阐释并引人思考一些耐人玩索的人生哲理和审美课题，着实令人叹服。

前两句，诗人作为审美主体，对眼前的花开似锦这一美的形态，做了直接的感知与表述；后两句，则是运用自己本来就有的生活经验和价值判断，把它投射到审美对象当中去，这里既包括情感因素，也蕴含着理性剖析，从而获得对客体对象的深刻理解。

这种理解是客观的、理性的、冷峻的，里面渗透着对世路人生的深沉感慨，启发人们思考一些有关盛衰、荣瘁、盈虚、消长等重大理论课题。比如，当你面对"红杏枝头春意闹""桃之夭夭，灼灼其华"的喧腾景象，想没想到接下来就是落英满地、盛极而衰呢？再比如，在"人情方最赏"之际，想没想到此刻恰是"花意已无余"之时呢？也许有人觉得，盛衰、成败这个题目太大，就是说，离个人生活实际比较远，那么，不到顶点、戒满忌盈，凡事留有余地、讲究分寸、不搞绝对化这些应时处世原则，还是每天都会接触到的。

  本诗的妙处，不仅在于即小见大，像《周易》中所说的"其称名也小，其取类也大"；而且，能够如钱锺书先生所言："不泛说理，而状物态以明理""拈形而下者，以明形而上""理之在诗，如水中盐、蜜中花，体匿性存，无痕有味"。就是说，诗并非不能说理。而是不作理语，忌讳"理障"。诗的丰富内涵和深层意蕴，不是借助语言显露于外，而是通过形象描摹和读者的细心玩味，从而体味到蕴涵于内的道理。

两个不眠人

吴宫词

庞鸣[①]

响廊移得苎萝春,沉醉君王夜宴频。
台畔卧薪台上舞,可知同是不眠人。

春秋末年,越国被吴国征服,越王勾践沦为臣虏,忍辱含垢,执牧养之事,形同奴婢,伪装忠诚,谄事吴王夫差,逐渐取得信任,三年之后放归会稽。而勾践志在复仇,乃苦身劳心,夜以继日,累薪而卧,不用床褥;又悬胆于坐卧之所,饮食起居,必取而尝之。又接受谋臣献计,从苎萝山下觅得绝代美女西施,教以歌舞,精研容步,教习三载,技态尽善,然后饰以珠幌,乘以香车,敬献吴王。夫差一见,惊为仙女下凡,魂魄俱醉,予以专房之宠。特意为她建馆娃宫于灵岩之上,还设计了响屧廊(屧乃鞋名),凿空廊下之地,将多口大瓮铺平,上覆厚板,令西施步履其上,铮铮有声,故名"响屧"。从此,夫差日夜沉湎,荒淫无度,酣歌醉舞,不问朝政,最后终于为越国所灭。

弄清上述本事,这首七绝就容易解读了。前两句是说,西施离开

[①] 庞鸣(1692年前后在世),字逵公。清代诗人。

浙江的苎萝乡,来到姑苏的馆娃宫,从此,吴王夫差便沉湎酒色,荒淫怠政了。重点在后两句,为全诗之纲领。这里拉出两个不眠之人,他们在同一时间里,怀有不同的价值取向,从事不同的活动——越王勾践卧薪尝胆,以图强国复仇;吴王夫差却醉生梦死,沉湎酒色,荒淫宴乐。正所谓:共处一室,迹近路人,势同水火,心分吴越。

全诗形象鲜活,对比强烈,含蓄蕴藉,婉而多讽。孰是孰非,作者不加评点,留给读者判断。不仅醒世觉迷,意蕴深刻,而且手法十分高明。

初次吟哦此诗,觉得声韵、格律、结构,似曾相识。原来,晚唐诗人罗隐有一首七绝《偶题》:"钟陵醉别十余春,重见云英掌上身。我未成名君未嫁,可能俱是不如人?"同样是说两个人:一是罗隐自己,十试不第,落拓无成;一是旧日相识妓女云英,独身未嫁,岁月蹉跎——彼此彼此,都是"不如人"的。虽然两首七绝内容毫无共通之处,但韵律、结构十分相似。学术界有"异质(不同意旨)同构(相同或相似结构)"之说,可以借用过来,阐释两诗的艺术特点。

眼前语是奇绝语

出关

徐兰[①]

凭山俯海古边州,旆影风翻见戍楼。
马后桃花马前雪,出关争得不回头?

诗人为清宗室安郡王幕僚。清初,西出祁连、北征塞外的军事活动颇多,此诗当为诗人随军出塞时所作。诗人通过出关前后目中所见的景色,着意点染了出征士卒怀恋乡土的感情色彩。题曰"出关",那么,究竟是长城的哪个关口呢?从诗句中的"凭山俯海"看,应为山海关;但有学者考证,康熙年间,西征噶尔丹,安郡王率兵前往,系由居庸关至归化城,然后沿河西走廊西行,这样,就应该是出居庸关。

就诗歌创作看,有的(当然属于个例)也可能并不拘泥于具体物象,比如黄庭坚的诗句"斜谷铃声秋夜深",按照史书记载,唐明皇夜雨闻铃并不在斜谷,可是诗人就这么说。在这方面,似乎文学艺术拥有一点"特权",这样,东坡"黄州赤壁",王维"雪里芭蕉",也就不足

[①] 徐兰(约1660—约1730),字芬若,号芝仙。著名诗人。康熙年间入京为国子监生,后以幕僚身份随安郡王出塞。

为怪了。

　　下面书归正传。诗人从马上见到的出关景象写起——旌旗闪处，雄关威峙，戍楼高耸，这里背倚群山，面临大海，属于古长城的边关。接下来，由所见进入所思：此时虽然已是早春，但关外仍然雪漫峰峦，银妆素裹；而抛在身后、渐行渐远的村野，却还到处盛开着桃花。面对这两种差异鲜明的景色，对于关内，行人争得（怎能）不频频回首，深情地留恋！

　　笔下纯为眼前景色，却造语奇突，使情与景熔为一炉，而且富有意蕴，颇具理趣。清人沈德潜《清诗别裁集》中赞誉此诗："眼前语便是奇绝语，几于万口流传。此唐人边塞诗未曾到者。"

　　写法上亦颇具特色：开头两句写景，一呈静态，一呈动态，在渲染气氛、状写环境方面，已见功力；而后两句的议论、感慨，尤其出色。作者笔下的马后、马前的桃花和雪，作为两种意象，分别代表着判然有别的节候，反映截然不同的世界，一红一白，一暖一寒，相映成趣，堪称奇思妙笔。

　　这使人联想到，徐兰在另一首《归化城杂咏》中的诗句："祁连呼吸与天通，不与人间节候同。后骑解衣风柳下，前军堕指雪花中。"在高耸云天的祁连山的障蔽下，山北山南，节候特异，一方冰寒冻掉指头，一方燠热，需要披襟迎风。二诗可谓同一机杼。

惶恐滩头说惶恐

惶恐滩口号

赵执信①

斜阳一线系金船,鸦轧桡声尚满川。
何处人间不惶恐,羡他高雁入云天。

  惶恐滩,在江西省万安县境内,为赣江十八滩的最后一个锁口,江水湍急,暗礁林立,令人望而生畏。可是,诗中所写的却是另外一番景象。诗人说,当江船经过这一著名险滩时,但见西斜的日光穿过阴云,露出橙黄一线,像是给整条船镀上了一层金色;耳畔橹声轧轧,撩乱川谷。本来,应该是"惶恐滩头说惶恐",可是,却一反常态,不仅看不出惊心动魄、气沮神伤的精神状态,而且,还依稀透出一定程度的诗意。原来,诗人此刻已经由水路上的艰难险阻,联想到了人世间、社会上、仕途中的险恶处境。这样,自然界的风波险阻,也就不在话下了。接下来,很自然地导出后面两句:人生在世,简直是步步艰辛,处处惶恐。这样一来,倒是觉得自由翱翔于万里云空之上的鸿雁,是最令人艳羡的了。

---

① 赵执信(1662—1744),康熙年间进士,授翰林院编修,官至右赞善。被革职后,五十年间,终身不仕,徜徉林壑。论诗强调以意为主,言语为役。

早在几百年前,文天祥就在七律《过零丁洋》中悲吟了:"惶恐滩头说惶恐,零丁洋里叹零丁。"是呀,"何处人间不惶恐"呢!那么,读者也许会问:较之激流险滩,宁静的池沼中,总该安稳得多吧?诗人对此摇了摇头。他有一首《戏题池内鱼罾》的七绝:"藏得丝纶就碧波,微风不动杀机多。鱼虾匿影知何计?星月都将入网罗。"连星月都在网罗之中,又何谈鱼虾呢!写到这里,诗人大概连展翅云天的高雁也未必称羡了。

赵执信一向主张"诗之中须有人在"。显然,这两首七绝中,都分明闪现着作者的身影,简直是呼之欲出。作者十四岁中秀才,十七岁中举人,十八岁中进士,少年得志,平步青云;但到二十八岁时,突然大祸临头,因在康熙帝的佟皇后丧葬期间,观看洪昇所作《长生殿》的演出,结果被劾革职,此后即终生困顿潦倒,故其胸中常有一股郁勃难舒之气,遇有机会,就会喷发出愤慨不平之鸣,表现出一种尖锐的抗争性。

世间没有双全法

情歌

仓央嘉措[①]

曾虑多情损梵行,入山又恐别倾城。
世间安得双全法,不负如来不负卿。

  作为出色的诗人,仓央嘉措曾写过很多细腻真挚、富有文采的情歌,属于经典性的是拉萨藏文木刻版《仓央嘉措情歌》,共六十六首,如今已被译成二十多种文字,本诗是其中的第二十四首。
  "诗言志,歌咏言。"这首情歌纯真、如实地倾诉了诗人内心的矛盾冲突。他说:我曾反复地思虑,任凭爱情的潮水放纵奔流,就会使我的修行轰然损毁;可是,如果我毅然斩断情丝,遁入深山修行,又觉得辜负了这美貌倾城的情侣,实在于心舍不得。人世间,怎么能寻找到两全其美的办法——既能不违如来佛祖的法度,不致辱没了佛门,又不辜负所爱的人的深情?诗中"如来"二字,系梵语。《金刚经》:"如来者,无所从来,亦无所去,故名如来。"一般指佛陀。

[①] 仓央嘉措(1683—1706),为第六世达赖喇嘛,中国少数民族才华出众的诗人。1697年,被当时的西藏摄政王第巴·桑结嘉措认定为五世达赖的转世灵童,1705年被废,次年在押解途中圆寂。

活佛的身份,使他无法和心爱的情人结合在一起,他的多情爱恋也不容于世俗礼教,于是,年纪轻轻的他,就只好为情而殒命。诗中写尽了为情所苦的无奈与烦恼。但也因此,在艺术的天国里,作为诗人的他,绽放出一朵朵卓绝千古的奇葩。他的诗歌已经超越民族、时空、国界,成为世界范围内宝贵的文学遗产。

本诗原为藏文,汉译者曾缄,早年就读北京大学文学系,为国学大师黄侃弟子。

如此"官魂"

戏示僚友

黄任[①]

常参班里说归休,都作寒暄好话头。
恰似朱门歌舞地,屏风偏画白蘋洲。

诗人说,每当群僚入朝相见,都习惯地把休致归田当作寒暄的话头;就像豪门贵宅,本来是歌舞喧嚣之地,偏偏要在屏风上画一幅象征着清寂、淡雅意韵的白蘋洲景色,完全是装相、作秀。诗中的"常参",指群臣每日于前殿朝见皇帝的例行公事,此处当是泛指定期入朝。宋人梅尧臣有"不趁常参久,安眠向旧溪"之句。

对于这种装相、作秀的行径,大诗人袁枚有一番揭老底的话:"士大夫热衷贪仕,原无足讳。而往往满口说归,竟成习气,可厌。"可厌在哪里?就是弄虚造假,做戏给别人看。考究其实质与根源,鲁迅先生在杂文《学界的三魂》中,说到了"官魂":"中国人的官瘾实在深,汉重孝廉而有埋儿刻木,宋重理学而有高帽破靴,清重帖括而有'且夫''然则'。总而言之,那魂灵就在做官,行官势,摆官腔,打官

[①] 黄任(1683—1768),字莘田。康熙年间举人,曾官知县。罢官归里后,生活清苦。工诗,以轻清流丽见称,七绝尤负盛名。

话。"着实可厌!

　　这首诗写得很别致,所谓"嬉笑怒骂,皆成文章"。清人杭世骏《榕城诗话》载,黄任生性滑稽,"好宾客,诙谐谈笑,一座尽倾"。这样,他写出的诗文就具有一种独有的世俗趣味。论者认为,这种世俗趣味,是经验与现象世界感知方式在文艺审美中的体现。在中国宗法社会依然为主要特点的明清两代,世俗趣味主要表现在文艺内容和语言的趣味性和喜剧性,创作状态的众声性。众声性诗歌往往多创作于一种群体性的场合,比如诗人们的唱和、交游、游赏,包括应酬等,更能表现出人际交往中的情感状态和特点。本诗正是如此。

　　黄任为诗,博采唐、宋、明、清众家之长,自成一体。沈德潜编《清诗别裁集》,不录存世诗人作品,却打破成例,选录了黄任的诗。著名诗人袁枚也特别推重他,视黄任为本朝"非人间凡响"的杰出诗人。

不独人亡物亦亡

湖楼题壁

厉鹗①

水落山寒处,盈盈记踏春。
朱栏今已朽,何况倚栏人。

此诗为诗人悼念亡妾朱满娘而作。

首先说明了题诗的时间和地点,记述了满娘在时,以轻盈、秀美的步态,同他一起冒着料峭的春寒,在杭州西湖之滨踏青的情景。"水落山寒",既是交代节候特点,又烘托出诗人此刻苍凉的心境。这样,自然而然地就生发出下面的慨叹。一般都说,人亡物在,物是人非。英国文学名著《简·爱》的女主人公,重回故地桑菲尔德府,目睹迥非旧貌之惨景,曾喟然叹道:一切没有生命的依然存在,而一切有生命的已经变得面目全非了。而此处却说,"朱栏今已朽"——物也亡了,这就更向前递进一层。"何况倚栏人!"自是必然得出的结论:连无生命的木石都已经毁烂,更何况是有血有肉的人!

本诗后两句,当是从苏轼诗"雕栏能得几时好,不独凭栏人易

---

① 厉鹗(1692—1752),号樊榭。康熙年间举人。浙派诗词重要作手。其百卷《宋诗纪事》为士林所重。

老"中化出；当然，如果再往前追溯，也可说是自唐代诗人欧阳詹的五言诗中脱胎而来。欧阳詹在太原结识一位名唤李倩的艺妓，分别后，他写了一首《寄太原所思》，前四句云："驱马渐觉远，回头长路尘。高城已不见，况复城中人。"二诗都是追怀所爱美人的，表现手法也有相似之处；但厉诗选取了新的视角，营造出新的意境，进行了形象鲜明、音韵铿锵的艺术创造，从而避除了蹈袭之嫌。

白发无公道

白发

翁志琦[①]

朝来揽明镜,白发感蹉跎。
毕竟无公道,愁人鬓畔多。

本诗特点,是做古代名诗的翻案文章,同样富含理趣。

诗人说,早晨起来,手拿着镜子一照,眼见自己两鬓已经霜白,深感岁月蹉跎,光阴虚度。唐人杜牧说,"公道世间惟白发,贵人头上不曾饶",其实是不确的,毕竟还是穷愁之人白发多,哪里存在什么公道!

说到驳诘杜牧之诗,翁氏并非始作俑者,早在宋代,有人就曾发问:"白发何曾解公道?逡巡也避贵人头。""逡巡"一词,引自西汉贾谊《过秦论》:"逡巡而不敢进",意为有所顾虑,而徘徊不前或者退却。

这就产生了疑问:为什么白发会逡巡、规避贵人头呢?回答说:因为相对地看,贵人条件优裕,不用愁吃愁穿,烦恼要比穷贱之人少

---

① 翁志琦,字式金,康熙时诗人。

得多。在日常生活中,人们常说:"愁一愁,白了头;笑一笑,十年少。"所以,有人说,白发是愁出来的。大诗人李白不是说了吗?"白发三千丈,缘愁似个长。不知明镜里,何处得秋霜?"

那么,接下来就出现了第二个疑问:为什么愁人就白发多呢?从字面、字形上看,"愁"是一个形声字,"愁为心上秋";词人也说:"愁便是,秋心也。"(宋·史达祖)就心理科学、病理科学来说,精神紧张,抑郁不舒,烦恼丛生,都足以催生白发。愁属于心,表现为一种不良的心理情绪。这还是站得住脚的理由。

为强者造像

竹石

郑燮[①]

咬定青山不放松,立根原在破岩中。
千磨万击还坚劲,任尔东西南北风!

　　作为清代中期声名卓著的艺术家与诗人,郑板桥久享诗、书、画"三绝"之盛誉。在这幅竹石画中,同时作书、题诗,珠联璧合,相映生辉,堪称"三绝"的范例。

　　他曾说过:"昔东坡居士作枯木、竹、石,使有枯木、石而无竹,则黯然无色矣。余作竹作石,固无取于枯木也。意在画竹,则竹为主,以石辅之。"本篇的诗与画,正是这样,都是侧重写竹,而石则是彰显竹的个性的背景与衬托。在诗人的笔下,几株翠竹牢牢地咬定青山,绝不放松;其实,它们从出生就植根于石头缝隙之中,这原本是它们的根性。这样,纵然经历着千磨万击的摧折,来自四面八方狂风的摇撼,也照样地傲然挺立,顽强不屈。作者还有一首题画诗,同样涉及

[①] 郑燮(1693—1765),字克柔,号板桥道人。康熙年间秀才、雍正年间举人、乾隆年间进士,曾任山东范县、潍县知县,同情民间疾苦。因得罪豪门罢官,晚年躬耕自食,卖画度日。性狂放,落拓不羁。诗书画俱工,为"扬州八怪"之一。

清及近代　｜　153

风与竹石,主题也是颂扬竹子坚劲的个性与品格:"秋风昨夜渡潇湘,触石穿林惯作狂。惟有竹枝浑不怕,挺然相斗一千场。"

当然,作者的写竹、颂竹,最终都是本人孤高傲世、坚韧不拔的精神的寄托。他通过塑造翠竹咬定青山,扎根岩石,笑对狂风肆虐,不怕千磨万击的强者形象,意在托喻自己立身坚定,敢于向邪恶势力抗争的人格精神。同时,我们也可以从中领悟到一些哲理:一是:"为者常成,行者常至。"要做成任何一件事情,都必须具有"咬住不放"的顽强毅力;二是:"艰难困苦,玉汝于成。"不应回避与惧怕恶劣的环境条件,青青翠竹之所以能够如此坚劲,正是千磨万击中锤炼出来的。

求人不如求己

篱竹

郑燮

一片绿阴如洗,护竹何劳荆杞。
仍将竹做篱笆,求人不如求己。

丛竹翠篠涓涓,绿荫清凉如洗,需要精心护持,一般的都是用荆杞之类带有钩刺的野生灌木作为护栏,以免遭到摧折、破坏。可是,板桥道人却别出心裁,认为与其求人,不如求己,索性就用竹子做成篱笆,就地取材,同样可以起到保护作用。这完全是从日常实际出发,属于生活实录;可是,其中却蕴含着寄怀深远的人生哲理。

"求人不如求己",本是一句俗语,但它的来头却是不小。早在两千五百年前,孔老夫子就有"君子求诸己"之说。而老子的弟子、大约与孔子同时的计然(文子),就讲得更明晰了:"怨人不如自怨,求诸人不如求之己。"宋人笔记《贵耳集》记载:"(宋)孝宗幸天竺,至灵隐,有辉僧相随","见观音像手持佛珠。(孝宗)问曰:'何用?'(辉僧答)曰:'要念观音菩萨。'问:'自念何甚?'(自己念自己,做甚么?)曰:'求人不如求己。'"另有一则佛门故事:一日,一个人遇到了难事,就到观音庙去拜观音,他看见一个长相非常像观音的人,也杂在人群中参拜，便问："你是观音吗？"那人答道："我是。"此人大惊："那你为什么拜自己？"观音答道："因为我也遇到了难事，但我知道，求人不如求己。"儒、道、释三家，对于同一个问题的认识，竟然如此浑然一致，毫无疑义，这在学术界或日常生活中，还是并不多见的。

　　从哲学原理上分析，矛盾（也包括问题、困难）是普遍存在的，矛盾是事物发展的动力。内因是事物发展的根本原因，外因是事物发展的必要条件。而解决矛盾有赖于主观与客观、内因与外因的协调、配合。就中，主导方面，或曰起决定作用的，是主观，是内因，即所谓"求人不如求己"。但这里只是强调自身的主导作用，并非一概否定外在条件。诗中"不如"二字，是就比较而言，只是说明主次之分，没有全盘否定"求人"的意思。只有将"求己"与"求人"结合起来，即在大力提高自身能力与素质的前提下，充分发挥外在因素作用，才能取得事业的成功，实现既定的目标。

别开生面的竹颂

题画竹

郑燮

一节复一节,千枝攒万叶。
我自不开花,免撩蜂与蝶。

对于"岁寒三友"之一的竹子,前人作了大量文章,有的吟咏它直干凌空的气势,有的赞赏它中空外直的风格,有的写它的云水襟怀和清森气度,板桥道人却别具怀抱,从它的只吐叶不开花方面加以品题,顿觉生面新开,出奇制胜。咏物寄兴,富含哲理,堪称妙品。

诗人抓住竹子一般不开花(竹子开花后,会成片枯死)的特点,形象地阐发其立身处世的人生态度,同时也是书写一种人生感悟与生命体验。说的是竹子,实际上句句都在写人生,也是为自己画像。寥寥二十字的小诗,具有极为丰富的蕴涵——

从人性特点或者弱点角度看,老子有言:"不见可欲(不显耀可贪的财物),使民心不乱。"又说,缤纷的色彩使人眼花缭乱,珍稀的物品引诱人行为不轨。因此,有道之人但求安饱,而把声色、感官之娱弃置一旁。"不开花",对外可以免除声色的炫耀,对内也有利于防止心灵的惑乱。卑之无甚高论,就是避免麻烦。

从事物发展规律看，人是自己命运的主宰，所谓"自求多福"。古人早就说了："物必先腐也，而后虫生之""人必自侮，然后人侮之""天作孽，犹可违，自作孽，不可活"。招蜂惹蝶，以色相示人，必然自找苦吃，招灾引祸。特别是人在成功成名、位高权重之后，往往会招来金钱、美色的诱惑，如果缺乏清醒的认识与足够的警觉，就会陷身其中，不能自拔。本诗突出强调了主观因素的作用，是富有积极意义的，极具现实的箴规、针砭价值。

从人生追求、价值取向来说，古往今来，凡是心怀远大目标、有志献身国家民族的人，在声色货利面前，总能正身律己，坚守原则，珍重节操，秉持一种定力。而且，淡泊自甘，不慕荣华，不媚俗，不张扬，不出风头，不哗众取宠。即使歪风邪气袭来，遭遇到"蜂蝶"的滋扰，由于自己正气凛然，贞洁自持，也能够不为所动，予以有效的抵御。

我们还可以从中认识到艺术与科学的区别。从植物学角度看，竹子不开花，与害怕招蜂惹蝶没有联系；但作为诗歌艺术，采用拟人化手法，却可以这样写。同样道理，唐人的"岸花飞送客，樯燕语留人""无情最是台城柳，依旧烟笼十里堤"，都属诗人的拟人与移情之笔。

勇破成规

出纸一竿

郑燮

画工何事好离奇？一干掀天去不知。
若使循循墙下立，拂云擎日待何时！

板桥道人画了一幅竹子，特意让它冲出纸外，即所谓"一干掀天去不知"，题为《出纸一竿》，并在上面写了这首诗。

首句故意设问：画家怎么这样"好离奇"（喜欢标新立异）呢？次句接着讲"好离奇"的表现：把竹子画出纸外，如同掀天而去，不知所止。三、四两句就事论理，讲述"好离奇"的道理所在，实际是以竹子为意象来阐述成才之道。说这好比育人、成才，如果你一味强调按部就班、循规蹈矩，总是拘谨胆怯地依墙而立，墨守成规，不敢越雷池一步，那要等到什么时候才能干出一番"拂云擎日"的功业呢？

人才的本质特征在于创造。失去了创新意识、创造精神，就谈不到成才。中国古代有一句话："凡作诗文者，宁可如野马，不可如疲驴。"做人亦须意气风发，思想奔放，当然，这是就精神状态和思维方式而言。思想奔放，并不是胡思乱想，也不是怀疑一切。

同样也适用于阐释艺术创造精神。板桥道人有过这样一段话：

"掀天揭地之文,震电惊雷之字,呵神骂鬼之谈,无古无今之画,原不在寻常眼孔中也。未画以前,不立一格,既画以后,不留一格。"本诗、本画,可以看作此篇艺术主张的样本。

　　开篇设问,是本篇题画诗的一个特点。它能起到醒人眼目,跌宕起伏的表达效果,又可以引起读者思考。也有的题画诗,把问号放在最后,如唐寅的《题画山水》:"山阁临溪晚更佳,绕崖秋树集昏鸦。何时再借西窗榻;相对寒灯细品茶?"它的着眼点,不是回答,而是留下一种温情的期待,以收逸韵悠然、有余不尽、耐人寻味之效。

几点梅花最可人

画梅并题诗

李方膺[①]

写梅未必合时宜,莫恨花前落墨迟。
纵目横斜千万朵,赏心只有两三枝。

　　这首题画诗的特异之处,是分前后两部分,就着两个话题,分别发表议论。前部分说,不要嗔怪我,伫立在满树梅花的前面,迟迟不肯落墨。因为我考虑到,现在画梅花,未必合乎时宜,所以踌躇、迟疑。言下之意是,寒梅傲骨嶙峋,孤芳自赏;而现时人们都很势利,喜欢热门,趋炎附势的多,自甘淡泊的少,所以怕是没有人欣赏。

　　显然这是愤激之词,实乃正话反说。李氏对于梅花的热爱,可说是达到了无以复加的程度。他在《梅花图》的左侧有一则款识:"予性爱梅,即无梅之可见,而所见之无非梅,日月星辰梅也,山河川岳亦梅也;硕德宏才梅也,歌童舞女亦梅也。触于目而运于心","苦心于斯,三十年矣"。一生爱梅,久而成癖,其住处命名为"梅花楼",庭院周围栽满梅树,置身其中,吸香纳气。他将梅喻为真善美的象征,奉

[①] 李方膺(1695—1755),清代著名画家,"扬州八怪"之一。任县令时,遭诬告,被罢官,遂以卖画为生。

为"平生知己"。

  画梅,在他的艺术生涯中占据主导地位,他一生画得最熟练、艺术成就最高的就是梅花,总能在种种"迁想妙得"中,与梅花实现"神遇而迹化"。因而,在诗的后部分,进一步阐明了他的审美观点和艺术主张——从触目横斜的千万朵梅花中,捕捉最使人赏心悦目的两三枝,经过艺术构思,创造出比天然的梅花更为完美的艺术形象。他所画的梅花,别有一番孤高冷峻的风度,笔法苍劲老到,剪裁颇费功夫,像他自己所说的,"挥笔落纸墨痕新,几点梅花最可人",通过典型塑造来反映一般,令人回味无穷。郑板桥对此大加赞扬。

旷达自信

暮春

翁格①

莫怨春归早,花余几点红。
留将根蒂在,岁岁有东风。

　　古代文人,每当看到林花谢了春红,匆匆春又归去的萧瑟场景,常常黯然神伤,怅憾不已。慨叹盛景不长、繁华难再者有之;责怪风雨无情,任意摧折百花者有之;自伤自恨留春无计、回春乏术者亦有之。可是,翁格这个地位较低、也没有见过更大世面的落拓文人,却从事物发展规律着眼,面对枝间稀稀落落的数点残红,毫不感伤、怨嗟、颓唐,而是抱着一种乐观向上的态度,说不要埋怨春天走得太早,转眼间风吹花落,残红委地;应该相信,年年岁岁,都有浩荡的东风,只要花树的根蒂还在,到了一元复始的春天,依旧会繁花满树,紫万红千。

　　寥寥四句,篇幅短小,语言也通俗易懂,其中却寄寓着深刻的人生哲理。前两句,说的是春去春来,花开花谢,都是自然现象,无关乎

---

① 翁格,字去非,江苏吴县人。秀才。

人意的悲喜哀乐。言下之意是,既然不以人的意志为转移,那也就不必像古人那样,"逸少(王羲之)临文总是愁,暮春写得如清秋"。(金圣叹诗句)后两句,说的是事物发展变化中主观客观、内因外因所起的作用。内因在事物发展变化中起着决定作用,因而,只要"根蒂在",就有了保障,有了根据;但也需要一定的外在条件,得到风吹雨润,它便会不失时机地重新开花。

　　据资料记载,翁格出身于苏州洞庭东山的一个商人家庭,在明代隆庆、万历年间,祖上以经营致富,资财钜万,但是,到了他的父亲这一辈,家道中落,产业变卖一空。他写作这首诗,是否意在从中得到慰藉,或者用以教诲家人,不得而知。

彩云易散

悼金夫人

赵艳雪[①]

逝水韶华去莫留,漫伤林下失风流。
美人自古如名将,不许人间见白头。

关于此诗的本事,据成书于乾隆初年的查为仁《莲坡诗话》记载:"辛丑(康熙六十年)仲春,余遭'炊臼之痛'(指丧妻,典出唐·段成式《酉阳杂俎》:贾(经商)客张瞻将归,梦炊于臼(在舂米的器皿中做饭),问王生。生言:'君归,不见妻矣。臼中炊,固无釜(谐音无妇)也。'贾客至家,妻果卒已数月),同人和《悼亡诗》甚多,中有佟蔗村姬人艳雪七绝一首,句云:'美人自古如名将,不许人间见白头。'用意新异。"此事亦见载于袁枚《随园诗话》。

因为是唱和悼亡诗,所以首句先从逝者金夫人说起。金名至元,字含英,与查氏结褵未及一载,遽尔云亡。次句讲到查氏,"林下",是说他困居乡里。查为仁十九岁中举后,被诬入狱,九年后获释,成婚。夫妻二人诗酒谈谑,琴瑟和谐,可惜好景不长。"失风流"指此

---

① 赵艳雪,康乾时期津门才女,诗人佟蔗村之姬人。冰雪聪明,风雅能诗。

清及近代 | 165

为仁有《七夕》一绝："漫说双星怅别离,年年还有鹊桥期。人间一奏孤飞曲,地老天荒无会时!"备极伤恸。

赵诗的精彩之处,在三、四两句。之所以说人世间的美女和名将都不能(不宜)长寿至老,这可以从三个层面加以阐释——

首先,本诗是专为悼惜美人的,"名将"云云,只是陪衬,重点还是伤美女之早逝,哀红颜之薄命。女诗人着墨的重点,在于世间美好的事物都是极易消逝的。这可以说是千古同心,人情所向。于是,就有无数诗人同声慨叹:"大都好物不坚牢,彩云易散琉璃脆。"(白居易《简简吟》)"留不得。光阴催促,奈芳兰歇,好花谢,惟顷刻。彩云易散琉璃脆,验前事端的。"(柳永《秋蕊香引》)"最是人间留不住,朱颜辞镜花辞树。"(王国维《蝶恋花》)而唐人杜荀鹤说得就更妙了:"不假东风次第吹,笔匀春色一枝枝。由来画看胜栽看,免见朝开暮落时。"(《题花木障》)索性就把它画下来,那比栽在地上旋开旋落要好得多。

其次,推演开去,从自然属性来剖析。无论是美人还是名将,其存在基础都是和年轻联结在一起的。年轻貌美,美女吃的是"年轻饭"。中央电视台播放的《电影传奇》,常常有同一演员在不同年龄段的场景,看了真是令人沮丧。当日朱颜秀发、美目流盼、光彩照人的妙龄女郎,一变而为白发苍苍,皱纹满脸,目光呆板,老而且丑。如果没有花容月貌,那明星还怎么当?古希腊神话说:阿波罗答应满足女先知(女巫)的任何请求,女先知所希望的是永远不死,但却忘记了请求永葆青春。这样,她果真长寿了,但是,伴随着光阴的飞逝,她变得越来越衰老、越来越丑陋了,以致人们问她最后还有什么愿望,她说:只求一死。至于名将,驰骋疆场,立功绝域,也同样离不开年轻,"年少万兜鍪""英雄出少年"。"廉颇老矣,尚能饭否?"何谈上阵杀敌!君不见京剧《赶三关》中丑角莫老将军,一出场就唱起"白盔白甲白旗号,白胡白须白眉毛,白吃白喝白挑眼,白打白闹白扯搔"吗？"莫老"也者，莫要年老之谓也。美人和名将一样，都经不起岁月的消磨，英雄老去，美人迟暮，终竟是莫大的难堪。

第三，从社会政治层面讲，在旧时代，名将也好，美女也好，都是封建君主手中的政治工具，风险性无时不在，无比巨大。他们虽然活得风生水起，耀眼荣光，称得上人间麟凤，却根本不能像平常人一样过上普通日子，大都是命途多舛，甚至不得善终。就美女来说，色衰爱弛，已成定律；而"红颜未老恩先断"的也所在多有。至于名将，"男儿要当死于边野，以马革裹尸还葬耳！"（东汉马援语）"醉卧沙场君莫笑，古来征战几人回"；更不要说，功成名就之后，还要面临"烹狗藏弓"的悲惨下场了。

艳雪的丈夫佟鋐，字蔗村，长白人。家世贵显，而他独脱屣轩冕，放情诗酒。侨居津门西郭外。因其爱妾艳雪，色艺兼擅，筑楼贮之，名艳雪楼。园内风景极佳，海棠花尤负盛名。其后园亭荒废，渐成街巷，人称佟家楼大街。津门布衣金玉冈有《过佟蔗村艳雪楼故居》七律："共沿流水到篱根，鸟雀喧喧最小村。几点红芳遮破屋，满庭青草闭闲门。缥缃散尽残书帙，樵牧唯余旧子孙。艳雪犹名楼已废，海棠一树最销魂！"语语沉痛，不胜今昔之感。

记得当年

咏落叶

刘芳①

堆怨堆愁委地深,西风衰草乱虫吟。
此时狼籍无人问,谁记窗前借绿阴!

前两句写眼前所见。先说落叶本身,满满地一大堆,里面深深地掩埋着愁思怨意。以拟人化、性格化手法出之,好像落叶也具备人性,有情怀,有感慨。实际上,是提供给读者一个发问的由头:为什么会这样?次句写落叶的外在环境:凛冽的西风,枯黄的衰草,昼夜哀鸣、令人心碎的鸣蛩。这一句承上启下,既是衬托落叶的愁怨,又为下一句"狼籍"二字张本。"狼籍",也作"狼藉",形容杂乱不堪、乱七八糟的样子。

后两句,抒发感慨,为全诗立意所在。说落叶现在是飘零委地,狼藉不堪,人们都不屑一顾;可是,不要忘记,过去它们却是浓荫耸翠,绿满窗前的,许多人都曾从中受益,只是现在无人记起罢了。

《随园诗话》引述此诗时附注:"春池富时,有穷胥(小吏)倚以生

---

① 刘芳,字春池,曾任金陵织造府计吏,贫而且老,诗兴不衰。

活,后竟负之。故咏《落叶》。"而我,则愿意跳出作者一己之丝恩发怨,从更开阔的角度加以解读。诗人咏叹落叶,实际上是抒写人生感慨。它启发读者思考、研究:如何处理人情世故、对待客观事物,涉及社会学、伦理学、心理学等诸多方面的课题。

这里只举一个方面的事例:我在一篇文章中专门谈过,"不能忘记老朋友,常想平生未报恩"。

中国古代也有"贫贱之交不可忘,糟糠之妻不下堂(不能抛弃共过患难的妻子,下堂指赶走)"的俗谚。史载,齐景公看到大臣晏婴的妻子老而且丑,便要把自己的女儿嫁给他。晏婴予以谢绝,说,我这妻子确实老丑不堪了,但我与她一起生活了几十年,她也曾有过年轻貌美的时候啊!人年轻时就寄寓着衰老,美貌时就寄寓着丑陋,她已将终身托付于我,而我也接受了她的托付,不能因为君王的恩赐,就背弃她的托付啊!

"谁记窗前借绿阴!"蕴涵丰富,寄慨遥深。

红叶情深

西湖看红叶

任锦心①

放棹西湖发浩歌,诗情画意两如何。
莫嫌秋老山容淡,山到秋深红更多。

深秋时节,诗人乘船游览杭州西湖,山色湖光尽收眼底,诗情画意溢满心怀,不禁诗兴勃发。那么,他要吟咏什么呢?那就是秋山的红叶。他说,不要嫌秋深以后山容惨淡,其实,山到秋深,丹枫万树,绛雪千林,景色真是美不胜收哩!

从《诗经》中的"秋日凄凄",《楚辞》中的"悲哉,秋之为气也"开其肇端,悲秋、伤秋,一直是诗人骚客咏怀的主题;其中集大成的是宋·欧阳修的《秋声赋》,它从秋色、秋容、秋气、秋意、秋声、秋象等各个侧面来作文章,把秋天这个"刑官"的肃杀之象,渲染得淋漓尽致。当然,古代诗人也并不是"一边倒"的。早在唐代,刘禹锡、杜牧等即都赞颂秋天,留下了"我言秋日胜春朝""霜叶红于二月花"等脍炙人口的名句。宋人叶梦得更是直言不讳,说:"秋为万物成功之

---

① 任锦心,字绣怀,号懒真,乾隆时诗人。

时,宋玉作悲秋,非是";并且与之针锋相对,作了《美秋赋》:"何人解识秋堪美,莫为悲秋浪赋诗"。到了清代,更有任锦心的向欧阳子挑战。《秋声赋》中说:"秋之为状也,其色惨淡。"而此诗则曰:"莫嫌秋老山容淡",直接予以反驳。

  诗中说的是红叶,实际上,令人很容易联想到人生。袁枚评论此诗时便说:"结二句,为老年人吐气。"人生进入生命的秋天,"阅尽人间春色",饱尝世路艰辛,仿佛由炎炎夏日般的繁华、激越,转入秋日的静穆、安详,使人思想深邃,头脑清醒,这时,便会显得成熟与干练,不再担心失去或者错过什么,也不肯茫然地赶冲某种喧腾的热浪,便会觉得天高地阔,极目悠然。这种宁静与淡泊,会显示出智慧的灵光、超拔的彻悟。

良工不示人以璞

遣兴(二十四首之五)

袁枚①

爱好由来下笔难,一诗千改始心安。
阿婆还是初笄女,头未梳成不许看。

诗人说,我作诗一向"爱好",顾惜体面,要求标准高,因此,轻易地不肯下笔;即使写了出来,也要无数次地改来改去,这样才觉得心里宁帖。好像那些刚成年的女孩子("初笄女",古代女子成年,称及笄)总是刻意打扮,头没有梳好,绝对不肯见人。我这个"老婆婆"("阿婆")也是一样,诗没有改好,是不肯拿给别人看的。

这里有三个关键词,都是关乎诗文创作的:一是"爱好"。事先确立一个很高的标准,绝不马虎从事;二是"心安"。袁枚有两句诗:"欧阳当日文名重,更要推敲畏后生。"说的是欧阳修晚年还在不断修改平生所写文章,用思甚苦。夫人不解地问:"何苦这样认真,难道还怕先生责怪吗?"他回答说:"不怕先生责怪,只怕后生们讥笑

---

① 袁枚(1716—1798),字子才,号简斋、随园老人。乾隆年间进士,入翰林院,后官江宁知县。挂冠后,辟建园林于小仓山,号随园。为诗提倡抒写性情,创"性灵说",影响颇大,为乾嘉年间之泰斗。

啊!"而袁枚则是求得自己心安,这是更加自觉的意识。三是"头未梳成不许看"。拿出来的必须是成品,所谓"良工不示人以璞"。

诗人此时已经七十六高龄,身为诗苑文坛泰斗,早已名满天下,但还是如此坚持严肃认真的创作态度,精神十分可嘉。

在诗的写法上,也很有特色,构思新巧,造语奇突,不落俗套;叙事、说理,形象生动,饶有风趣。

重在解用

遣兴（二十四首之七）

袁枚

但肯寻诗便有诗,灵犀一点是吾师。
夕阳芳草寻常物,解用都为绝妙词。

这是一首讲授写诗经验和体会的论诗绝句。

诗人说,诗是随处皆有、无所不在的,只要你肯去寻找就行。关键在于"心有灵犀一点通",要有性情,有灵机。所谓"兴会所至,容易成篇"。"灵犀一点",袁枚论诗注重性灵,此即指性灵。犀,通称犀牛。旧说,犀角有白纹如线,直通两端,因以灵犀比喻心意相通。

夕阳、芳草,本来都是平常不过的景物,可是,由于诗人具有一双善于发现美的眼睛,能够从中找出与人心性相通之处,并且巧于驱遣意象,神与物游,能用会用,这样,便都成了诗文中的绝妙好词。比如,唐诗中"夕阳无限好,只是近黄昏""曲终人不见,江上数峰青",五代词中"记得绿罗裙,处处怜芳草",就是佳例。

在这里,诗人突出强调了创作主体的能动作用,亦即创作者的内在精神世界的能动性。艺术家以其敏锐的感受、丰富的情感、卓绝的想象力和强烈的创新意识,通过能动的审美创造,来完成对于现实对象的复杂而微妙的心理加工。在他看来,寻常事物均可入诗,只在你能够"解用"。朱光潜先生在《谈美》中有言:"想象,仅是平常的材料之不平常的新综合。"这样,就能挖掘出全新的意境,就会有超常的艺术发现,就能化寻常为奇崛。

诗中着意点出"解用"二字。何为"解用"?它是对应着"寻常物"提出来的,直接关乎艺术创造能力。要使"寻常物"成为"绝妙词",有三个关节必不可少:

一曰敏感。这与"灵犀一点"是相通的,敏感才能在寻常生活、寻常景色、寻常事物中,捕捉到美的瞬间、美的意象,这就需要慧眼独具,即法国著名雕塑家罗丹所说的"善于发现美的眼睛"。

二曰解悟。不仅能够发人所未发,见人所未见,还须善于联想、发挥,由想象构成意象,由意象再到语言、声律,从而完成对于客观对象的微妙的心理加工。这在很大程度上,表现为《文心雕龙》中所说的神思:"观山则情满于山,观海则意溢于海";"寂然凝虑,思接千载;悄然动容,视通万里"。

三曰功力。不独写诗为然,一切美好事物,都是"成如容易却艰辛"。俄国大画家列宾有一句反映切身体验的名言:"灵感是对艰苦劳动的奖赏。"人脑,这个神奇的存储器,存储了客观世界的大量信息。随着思维活动的不断深化,信息的不断丰富,联系也日益紧密与连贯。这时如果受到某种激发和启迪,就会使存储的信息活跃起来,各种联系豁然贯通,迸发出灵感的火花,出现构思活动中质的飞跃。这种心理现象看似难以捉摸,其实,它的基础正是艺术家长期刻苦的生活实践与艺术实践。所谓"长期积累,偶然得之""得之在俄顷,积之在平日"。钱锺书先生有言:"人性中皆有悟;必工夫不断,悟头始出。如石中皆有火,必敲击不已,火光始现。然得火不难,得火之后,须承之以艾,继之以油,然后火可不灭。故悟亦必继之以躬行力学。"

清及近代

观棋　观人　观心

春日偶吟

袁枚

拢袖观棋有所思：分明楚汉两军持；
非常欢喜非常恼，不着棋人总不知。

说是"春日偶吟"，实际上，是写他观棋偶有所感。事实上，他不仅观棋，而且观人；不仅观人，而且观心。

起句说他拢起袖子，在一旁静静地观看别人下象棋。看着看着，有所感悟，后面的三句，写其"所思"的内涵：看那对弈双方的认真劲儿，哪里是消遣游戏，分明是楚汉两军对阵，在那里进行争城略地、你死我活的对峙——象棋棋盘中间明明白白地写着"楚河""汉界"嘛！其中饱享着胜利后极度的欢欣，也不免存在失算时真真切切的苦恼。但这只有当局者才能感知，而我这个在一旁拢袖旁观的人是体会不到的。

诗中蕴含着深刻的哲理：实践出真知，也就是"你要知道梨子的滋味，你就得变革梨子，亲口吃一吃"（毛泽东《实践论》）。"隔山买牛""隔岸观火""隔靴搔痒"，终不济事。

同时，我们也可以从中悟出作诗的规矩与诀窍。视独创性为艺术的生命,可说是古今中外文学家的共识。晋·陆机在《文赋》中说,"虽杼轴于予怀,怵他人之我先""谢朝华于已披,启夕秀于未振"。他们奉行这样的准则:"须教自我胸中出,切忌随人脚后行。"(宋·戴复古句)以至竟发生这样的哀叹:"恨不踊身千载上,趁古人未说我先说。"

下棋、观棋的诗,连篇累牍。前代的有苏东坡,意态悠然,从容潇洒:"纹枰坐对,谁究此味。空钩意钓,岂在鲂鲤。小儿近道,剥啄信指。胜固欣然,败亦可喜。优哉游哉,聊复尔耳。"同时代的有赵瓯北:"局中算劫正劳神,早有闲观局外身。袖手不来轻下子,烂柯人乃是仙人。"赞扬樵夫袖手旁观,置身局外,"不是仙人,胜似仙人"。

在这种情况下,我们不禁为随园老人捏一把汗:面对横在眼前、纵横骚坛的层峦叠嶂,你又该如何杀出重围,另辟新路呢?随园老人毕竟是高明作手,他巧妙地来了个"大路朝天,各走一边":你们不都是赞扬旁观者的超拔吗?那么,我要说,还须介入,否则,你就体会不到真正的欢喜和烦恼。

人文胜概

谒岳王墓

袁枚

江山也要伟人扶,神化丹青即画图。
赖有岳于双少保,人间才觉重西湖。

"江山也要伟人扶",是立论的核心,全诗都是围绕着它来做文章。这里的"伟人"固然是泛指,但若与下文连起来解读,则又是特指宋代的岳飞与明代的于谦。由于这两位民族英雄都曾官至少保,故称"岳于双少保"。岳墓与于墓分别在杭州西湖边栖霞岭下和三台山麓。

开篇是泛论山河大地需要借助杰出人物的声望,离不开伟大人物的匡扶与守护。接下来,由江山胜迹过渡到具体的西湖,说这里的自然景色之美,已经进入化境,巧夺天工,构成了一幅绝美的图画;但是,如果缺乏人文景观的支撑,终究觉得分量不足,多亏湖畔有了气壮山河的岳飞和于谦的祠庙与坟墓,在这里光照人间,才使得西湖分量分外凝重,蕴涵无比充实,地位更加崇高。

诗中突出了伟大人物在提高山水名胜地位、护卫江山社稷中的特殊作用,这是天经地义的不刊之论;而现代著名诗人郁达夫,就此做了进一步的发挥,他在吟咏西湖时,写了这样一首七绝:"楼外楼头雨似酥,淡妆西子比西湖。江山亦要文人捧,堤柳而今尚姓苏。"袁诗说的是"伟人",举出岳、于少保,用了"扶"这一动词,意为扶持、匡扶、呵护、护卫;而郁诗说的是"文人",抬出苏东坡这个文学天才、艺术全才,大体上也可说是门当户对,而用的动词却是一个"捧"字,意为渲染、帮衬、咏赞。两位诗人遣词用例都十分准确,切合"伟人""文人"的身份、作用,令人拍案叫绝。

  伟人也好,文人也好,统统都属名人范畴。实际上,二诗都反映了现实所谓"名人效应"。好在限于时代的环境、条件,袁、郁二位都不会料到这种"名人效应"的异化——喧宾夺主、过度转换、虚假违规所产生的负面影响,因此,不妨放胆使用,而不致有所顾忌了。

全在一个"养"字

养马图

袁枚

养马真同养士情,香萁供奉要分明。
一挑刍草三升豆,莫想神龙轻死生。

这首题画诗的着眼点,全在一个"养"字。诗人说,要想侍弄出一匹良马,主人就须怀着古时养士的心情,诚心诚意、尽心竭力、恭恭敬敬地供养,而不能像饲养一般牲畜那样,马马虎虎地,只求填饱肚子了事。否则,就休想在关键时刻为你出生入死,得其拼力相助。

诗中的"香萁",应是供祭祀用的粱谷。《礼记·曲礼》:"黍曰香合,粱曰香萁。"有学者释为豆秸,似不妥。萁,确有此义;但此处谈的是供奉,应取《曲礼》之义。何为"供奉"?祭祀、奉养之谓也。

韩愈在《杂说四》一文中,早就讲了这个道理:"马之千里者,一食或尽粟一石,食(饲)马者不知其能千里而食也。是马也,虽有千里之能,食不饱,力不足,才美不外见,且欲与常马等不可得,安求其能千里也!"刘禹锡的杂文《说骥》中讲了这样一个故事:一位堂兄送给他一匹良马,但他不识货,只用普通的方法喂养。不久,因为生病等着钱用,便把这匹马卖给了一个姓裴的人。在一位朋友的指点下,裴某得知这并非一匹常马,只是因为口齿尚嫩,锐气深藏,又兼过去饲养失当,所以一般人看不出它的奇材异质。经过新主人一段时间的精心照料,后来这匹马果然长成一匹名马。两篇文章都是以养马喻养士,阐明识才、育才、用才的道理。要之,并非世无良才,关键在于当政者是否采取了科学的方法与正确的态度。

诗中用语十分考究:不曰马,而曰"神龙";不说饲养,而说"供奉",其间充溢着一种敬重、虔诚的心情。显而易见,诗人是用隐喻的方法,倡导一种重知遇、讲礼数、用真情的养士观。亚圣孟子一语破的:"君之视臣如手足,则臣视君如腹心;君之视臣如犬马,则臣视君如国人;君之视臣如土芥,则臣视君如寇仇。"世之求士、养士者,可不慎欤!

瞎忙 空忙 苦忙

箸

袁枚

笑君攫取忙,送入他人口。
一世酸咸中,能知味也否?

本诗借箸咏怀,讥讽筷子在筵席间始终忙碌不停,恣意攫取,可是,最终全都纳入他人之口;结果,尽管它一世都在酸咸之中,却并不知味。

寥寥二十个字,寄寓了深邃的意蕴。读者从诗中可以联想到,世上有些人,心为形役,为追逐名利而劳形苦心、钻营奔竞,最后失去了自我;还有一些人缺乏清晰的目的性,整天只是瞎忙,如同筷子,不停地运作,却不晓得"为什么";有些人脑袋长在别人头上,不肯开动脑筋,思其所以然;反映在读书上,"学而不思则罔",有些人终日手不释卷,却空劳目力,到头来"食而不知其味",结果一无所获。

鉴于此诗具有诙谐、嘲谑的特点,有的学者把它归入谐趣诗。古代确有一些以筷子为题材的谐谑之作。《魏书》中记载一则谜语:"眠则俱眠,起则俱起;贪如豺狼,赃不入己。"谜底便是筷子。这是入了"二十四史"的。明代诗人程良规的《咏竹箸》诗,同样是咏叹筷子:"殷勤问竹箸,甘苦乐先尝;滋味他人好,乐空来去忙。"从正面理解,诗人是以拟人化手法,赞颂筷子甘心为他人付出,不辞劳苦的精神;而从反面看,则是隐含着对于空耗岁月的无意义人生的尖刻讽刺。

这类谐趣诗,大体上有三个特点:一是,"浅辞会俗,皆悦笑也"(《文心雕龙·谐隐》);二是,喻比指事,别有寄托,意在言外;三是,含蓄隐曲,谑而不虐,"温柔敦厚"的传统诗教决定了它:"善戏谑兮,不为虐兮。"(《诗经·淇奥》)

说给狂妄无知者听

北邙山

袁枚

山冢郁嵯峨,轻车山下过。
有诗吟不得,此处古人多。

首先解题:从前有"生在苏杭,死葬北邙"的俗谚。北邙山,海拔三百米左右,东西横亘一百多公里,位于洛阳市北。自东周起,中经东汉、曹魏、西晋、北魏,直至五代,许多帝王陵墓比邻而依;其他名人,像伊尹、吕不韦、樊哙、贾谊、班超、石崇、狄仁杰、颜真卿、杜甫、孟郊……的坟墓,数不胜数,拥挤得有人形容为"无卧牛之地"。

诗的前两句写景,诗人轻车经过北邙山下,目中所见,古冢层层叠叠,累然形成高耸的山丘。后两句抒怀,诗人风趣地说,正是由于山上是古代无数名人的"终焉之地",所以,尽管此刻诗思涌动,却也不敢随便吟哦。

袁枚在乾嘉之世,驰骋诗坛垂五十年,写诗达七千首,特别是由于倡导"性灵说",成就为"文坛革命家"(朱自清语)。而他到了此地,竟说"有诗吟不得",固然有调侃的成分,但其谦卑自抑之情也蔼然可见。这也是诗人的惯例。苏轼在文学艺术方面号称千古全才,但他对于韩愈《送李愿归盘谷序》拳拳服膺,曾说:"平生愿效此作一篇,每执笔辄罢。因自笑云:不若且放,教退之(韩愈字退之)独步。"《唐才子传》记载,诗仙李白登黄鹤楼,本欲赋诗,因见崔颢《黄鹤楼》诗,遂为之敛手,说:"眼前有景道不得,崔颢题诗在上头。"袁枚诗的后两句,当是化用此典,说给后世狂妄无知者听的。

确确实实,现在有些作家或者诗人,竟然眼空四海,自不量力,动辄大言不惭地要横扫千军、超迈前古。浅薄无知已经够惊人了,而狂妄比浅薄无知更可怕。

神韵当先

品画

袁枚

品画先神韵,论诗重性情。
蛟龙生气尽,不若鼠横行。

　　诗中说,品评诗画,首先要讲真情、重灵性和关注精神、气韵。那类了无生气、空有其表的病态蛟龙,绝对抵不上活蹦乱跳、横行恣肆的小老鼠。诗人把一个比较深奥的美学鉴赏问题,讲得简单明晰,且又形象生动。

　　就绘画来说,所谓神韵,很大程度上是讲神似,而非形似。东晋画家顾恺之认为,形神互相依存,离了形的神无法存在,而脱了神的形生机全无。但形似只是第一步,神似才是最高境界。苏轼的"论画以形似,见与儿童邻";陈与义的"意足不求颜色似,前身相马九方皋",讲述的都是同一道理。不仅描绘人物是这样的,对于山水画,袁枚也有类似观点。他说,不能拘泥于再现对象的形似,而应追求一种笼千山万水于笔下方寸之地的神似之美。当然,在他看来,"品画先神韵",首先要强调的,还是真性情、真感受,这同他的诗论是一致的。

关于诗与性情,袁枚有大量论述:"诗,性情也";"诗者,心之声也,性情所流露者也";"提笔先须问性情","有必不解之情,而后有必不可朽之诗"。而在讲性情的同时,他还不忘强调"灵气"、"灵机"、"灵根"。对此,日人铃木虎雄在《论性灵之说》中指出:"性灵,盖取性情底灵妙的活用。"核心所在,是作诗要真实生动,灵动活脱;直抒怀抱,作肺腑之谈,不可装腔作势,切忌"假门假氏",以致生机净尽,顿失本色。记得一位音乐评论家说过:"一流阵容的唱片与三流演出的现场,选择哪一个?我当然要选择后者。"

计 之 毒

鸡

袁枚

养鸡纵鸡食,鸡肥乃烹之。
主人计自佳,不可使鸡知。

诗句通俗易懂,说的是:养鸡人放开量让鸡猛吃,目的是早点养肥了,好把它杀掉。这个打算自是十分高明("计自佳"),但是,用心所在却绝对不能让鸡知道——知道了,鸡还能放开量猛吃吗?

这是一首典型的咏物诗。咏物诗往往是以物喻人,其显著特点是充分运用拟人、比喻、衬托、对比等手法,做到别有寄托,即不是单纯为所咏之物写照,而是通过寄寓某种深意,予人以思想上的启迪。袁枚有言:"咏物诗若无寄托,便是儿童猜谜。"

这种寄托大体有两种类型:一种是托物言志,诗中所咏之物往往是作者的自况,与诗人的自我形象基本吻合;再就是借物遣怀,托物寓意,借题发挥,或表露作者的人生态度,或寄寓某种愿望,或蕴涵生活哲理,或针砭某种社会现象。

本诗属于后一种。诗中寄寓着作者对于封建社会人际关系的深层认识,通过剖析"主人"的计谋之深、策略之毒、用心之狠,揭露旧时代奴役者与被奴役者、压迫者与被压迫者之间的欺瞒与诱骗、豢养与利用的罪恶实质。现代诗人刘大白在评论此诗时指出："一切资本家豢养劳动者、男性豢养女性、军阀豢养兵士……的阶级豢养的背景,都被这几句诗道破了。不料旧诗中竟有这样的象征文字。"(《旧诗新话》)

　　作者同时对于那些只图饱腹、不辨机心的鸡样愚昧、懵懂无知的人,表示哀怜与悲悯,体现了诗人在《续诗品》中所说的"意深词浅,思苦言甘"的特点。

各有各的活法

咏苔二首

袁枚

白日不到处,青春恰自来。
苔花如米小,也学牡丹开。

各有心情在,随渠爱暖凉。
青苔问红叶:何物是斜阳?

诗中创造了一个形体微小、地位卑下、环境恶劣,但绝不气馁、充满自信,意志力、进取心都很强的形象。它就是苔藓类的低级植物,终生生长在阴暗潮湿之地的青苔。

前一首开头两句,说的是青苔生长的环境阴暗潮湿,"万物生长靠太阳",可是,它却终生享受不到阳光的温煦,但它并没有因为环境恶劣而丧失生存的勇气,灰心绝望,照样生发出盈盈绿意,饱绽着生命的活力,焕发着青春的光彩。三、四两句,采用欲扬先抑的手法,说它开花微小,形如米粒;但是,它并不自惭形秽,而是不卑不亢,也像"国色天香"的牡丹那样,同样地开得坦然自在,从容大方。

这使人想起唐代诗人虞世南的那首《咏萤火》五绝:"的历(鲜

明、亮丽)流光小,飘摇弱翅轻。恐畏无人识,独自暗中明。"说萤火虫的光十分微茫,翅膀也很纤弱,在大千世界里可说是无足轻重。但它们却并不自卑自贱,总是在暗夜里不停地飞翔着,放射出微茫的光亮,以执着而强烈的意志,宣示着自己的存在,显现着自身的价值。

俄国著名小说家契诃夫说得好:"大狗叫,小狗也要叫。"万物生而平等,小狗的叫唤也好,青苔的开花也好,萤火虫的放光也好,都是生命的本能,更是生命的权利,它们共同地体现着一种令人瞩目、令人叹服的进取精神。

后一首的核心内蕴,是"各有心情在",各有各的追求,各有各的活法。世间无论多么卑微的生命,也有它灿烂的一刻。对别人而言,这一刻也许微不足道,但对它自己而言,甚至可以说是一切。诚然,青苔确是卑微、鄙陋、平庸,没法同牡丹的富丽堂皇媲美,但它也能以一己的自立自强,而傲视周围的一切。生命的进程中,充满着差异性与不平衡性,有完美,也有残缺;有辉煌,也有暗淡。青苔终生不知阳光为何物,有如"夏虫不可以语冰",视野狭窄,处境卑微;但既然是生命,就有理由存在,也一定有本能存活下去。这是生活中的辩证法。

过来事怕从头想

重登永庆寺塔

袁枚

九级浮图到顶寒,十年前此倚阑干。
过来事怕从头想,高处人休往下看!

诗人曾于乾隆十四年、二十六年,先后两次登临永庆寺塔("浮图"),均有诗作。但其所在地点,并未标出。后来读其《戊子中秋记游》一文,始知即在金陵,而且离随园比较近。

一、二两句,叙述十二年间两次登上九级高塔的情景。先从空间上说,"到顶寒",极写塔身的高峻,为后文"休往下看"张本;后从时间上说,正是前后两次登塔的经历,引出了"过来事"、"从头想"的话头。

三、四两句,讲述登塔过程中产生的富于哲理性的感悟。与一、二两句恰相颠倒,改为先从时间上说,凡事都怕回头想。前次登塔,袁枚三十岁刚过,还很年轻。而今时移世异,人事沧桑,"此情可待成追忆,只是当时已惘然"。旧梦重温,带来的总是惆怅;即便是美景温情,赏心乐事,回思即意味着早已失去,也会怅惘、心伤。正如本人所写的:"从来白发伤心处,最是青年得意时。"后从空间上说,高处不敢往下看。登高,眼界顿开,最是适合望远,前次登临,即有"一层两层风力猛","塔高如天竟无顶。身不登高眼不明,江山历历似围屏"之句。可是,待到登上塔尖,再往下看,感觉就不同了。原来是一步步地往上攀登,属于量的逐渐积累,并没有怎么在意;现在身处顶端,陡然俯视,飞塔凌霄,下临无地,自然动魄惊心。两句诗讲的都是生活中的实际感受,却寓有深邃的理趣。

这是一首典型的哲理诗,它在意蕴与写法上与禅意诗有所不同。诚然,禅意诗大多也都富有哲思理蕴,但与哲理诗展现形式有异。宋代诗人孙觌的《枫桥》七绝,大约属于禅意诗,也是抒发旧游重到的心灵体验:"白首重来一梦中,青山不改旧时容。乌啼月落桥边寺,倚枕犹闻半夜钟。"说的是青山依旧,古寺犹存,月亮还是那个月亮,钟声仍是那样的钟声,可是,听钟声的人已经改变了,"白首重来",无复昔日的青春年少,心情也不是当日的壮怀激烈,而是历尽沧桑的如梦如烟的晚境苍凉。

禅意诗,不着痕迹地融入诗人对生命、生存、生活的一种直觉体悟。禅机禅理,只可意会,难以言传。日本著名禅学专家与思想家铃木大拙有个形象的说法:"当我举起手时,其中有禅;但是,当我说'我举起了手'时,便没有禅了。"(《禅与生活》)当代学者古石指出,禅意诗在禅意的表达上,更注重的是呈现,这种呈现是一种直接、直观的细节呈现;而哲理诗在哲理的表达上,更注重的是表现,着重反映作者对社会生活"刹那间"富有诗情的内心体验和主观感受,带有较强的经验认知和主体意识。虽然也重视形象表达、意境营造,讲究理、象、情三者有机结合;但因大多是以我观物,总体更偏于理性和理趣,具有较为浓厚的理性色彩,"思"的痕迹较重。

随遇而安

入武林城作(四首选一)

袁枚

成见年来久不存,麻鞋随处踏芳尘。
朱门蓬户无分别,只要能容自在身!

武林(杭州)为诗人出生地,年轻时题咏甚多;隐居金陵随园后,仍然时常重游故地,此为六十四岁时所作。共写四首七绝,前三首为抒情、纪事,有"不是还乡是寻梦,一丘一壑总缠绵"之句;最后这首,是述怀、议论。

诗人说,很久以来,我已经不拘泥于固有的看法了,意之所适,足之所至,随遇而安。只要此身是自由自在的,挣脱种种羁绊,保持心定神宁,无论是身处豪华的朱门,还是栖居简陋的蓬户,其实并没有本质性的差别。

诗人在这里阐述了自己的一种心理状态,实际上是展现一种精神境界,或者说人生观与价值观。人需要胸有定见,不能凡事都随波逐流,模棱两可;但是,这种定见如果变为一种成见,对人对事抱持固定不变的看法就不好了。一般地说,成见建立在一定的认识和价值观的基础上,因为认识僵化,往往产生惯性,导致观念一成不变。诗人说他很久以来，观人处世，已经消除了成见，这就为下面所说的任情适意、随遇而安的心理状态的形成，奠定了思想基础。

随园老人这一观点，远者可以追溯到庄子所追求的理想人生境界，及其"齐物"观念和相对主义思想；而近者则取径于东坡居士。苏轼一生历尽了颠折，饱尝贬谪、流离之苦。可是，他说，要想心情愉快，只需要看到竹柏与明月也就行了。何处无明月，何处无竹柏？只是很少人有他那般的闲情与心境罢了。年长于袁枚二十岁的陈宏谋，也讲过一番切理餍心的大实话："天下事岂能尽如吾意？心境须恬适，尽其在我，随遇而安；稍有不如意者，便生见少觖望之想，徒增忧郁耳。"

有一段很著名的禅语，看了深受启发：当你手中抓住一件东西不放时，你只能拥有这件东西；反之，如果你肯放手，你就有机会选择别的更多的东西。人的心，若死执一的观念，不肯放下，那么，他的智慧也只能达到某种程度而已。

自主为高

纸鸢

袁枚

纸鸢风骨假棱嶒,蹑惯青云自觉能。
一日风停落泥淖,低飞还不及苍蝇。

这是一首用讽喻手法写的咏物诗。

前两句说,风筝("纸鸢")看上去风骨棱嶒,气魄具足,谁知竟然全是假象;但它本身却缺乏自知之明,整天在空中飘飘摇摇,蹑足青云之上,自己觉着特别了不起。后两句说,由于它的升腾完全凭借外在的风力,因此,一当风力停止,它便会失去自主能力,落入泥淖之中,那就简直连苍蝇都赶不上了——苍蝇尽管飞得很低,却是凭借自身力量。

除了袁氏这首诗,清代诗人中借着咏叹风筝来针砭时弊、讽喻世情的,还有同为乾隆朝的进士徐天球。徐氏也写了一首七绝:"谁向天边认塞鸿,但凭一纸可腾空。任他风信东西转,百丈游丝在掌中。"诗中讽刺风筝凭着一张纸片,借助风势,腾上碧空施威造势,却不知整个命运都在人家的掌控之中。

同样也是在牵绳上做文章,敝乡先辈、晚清名士李龙石的《风筝》七绝,却是说:即便有东风作势,但长绳本身总有放尽之时:"一纸凭牵数丈丝,飞来天半作蛟螭。吹嘘纵借东风力,怕说长绳放尽时。"

还有清初诗人孙枝蔚的五律《纸鸢》:"未到清明节,常时见汝稀。因风初有势,向日那能飞。小鸟虚遭吓,群儿肯早归。退身须作计,雷雨正多威。"写风筝暂借风威,猖狂作势,能够吓唬小鸟,吸引村童;但须早作退身之计,不然,遭遇雷击雨淋,那样结局可就惨了。

四首咏风筝诗,题材相同,着眼点各有侧重,表现方法都是因物遣怀,意在言外,别有寄托,厌恶、鄙薄势利小人之情,跃然纸上。

"冷应酬"

遣兴

袁枚

安老原应百事休,谁知晨起便生愁。
征名索序兼题画,忙煞人间冷应酬。

袁枚于乾隆、嘉庆年间,执诗坛之牛耳达半个世纪,名闻四海,又兼撰写《随园诗话》,"粉丝"遍布全国各地,而且像滚雪球一般,越滚越大。晚年时节,向他求字索诗的人踏破门槛,甚至连东瀛日本都有人前来求购。他曾写诗自嘲:"诗人八十本来稀,挥翰朝朝墨染衣。越是涂鸦人越要,怕他来岁此鸦飞。"对此,他既感到心烦,又是相当得意,正如诗中所述:"譬如将眠蚕,尚有未尽丝。何不快倾吐,一使千秋知。"显然,这种繁忙也满足了他的好名求胜之心。

《遣兴》诗中描绘的正是这种状况。他说,为了健康长寿,安度晚年,人老了,百般杂务都应该统统放下;可是,我却做不到,早晨起床之后,便开始发愁,这一天里,上门请求赠诗、题画、作序、签名的,一拨儿接着一拨儿,应接不暇,忙得不可开交。他在这种无休止的"应酬"前面加个"冷"字,料想是指挂冠、退职之后,文化人之间的所谓"雅兴"、"雅趣"之类应酬活动,用以区别官场、市井间那种宴请、叩拜、逢迎的鄙俗与热络。

　　诗人的这种体验,有其个体的特殊感受,但所涉及的认识价值却有一定的普泛性。一是所谓"名人之累"。不独袁枚自己,凡是名人都难以摆脱这种处境。王安石也曾有"晚扶衰惫寄人间,应接纷纷祇(只)强颜"的烦恼。实际上,一当成为公众人物,便不再属于自己。不要说,当朝宰相或者文坛座主,即便是普通人也不例外。人才尚未崭露头角时,往往无人注意;而一当取得了某些成就,在社会上出了名,又会来个一百八十度的大转弯,采访、照相、编辞典、下聘书,包括一些庸俗的捧场和商业性的借光炫耀,弄得终日不堪其扰。

　　二是如何认识"老有所为"。现在人的平均寿命有所增长,以六十岁退休计算,至少要有二十年时间,可以在绚丽斑斓的黄昏晚景中,继续演奏着生命真实的凯歌。只是应该注意从自身的实际情况出发,有所为有所不为。当然,我这样说,绝不意味着老年人还要异想天开,贪求无厌,不知止足。"及其老也,血气既衰,戒之在得"。孔老夫子的意思是,人到年老了,气血已经衰弱,便要警诫自己,切莫贪求无厌,这是从实际出发的剀切之言。

珍惜当下

夜吟

孙啸壑[①]

有灯相对好吟诗,准拟今宵睡更迟。
不道兴长油已没,从今打点未干时。

哲理诗写作的基本径路,不外乎"悟出"与"悟入"两种方式。诗人从生活实践、生命体验中感悟出来的理蕴,可以称为"悟出";而以理观物,将自己的感悟纳入客体中去,通过揭示客体的内在特征,展示某种哲思理趣的,则为"悟入"。孙啸壑的这首七绝,显然属于前者。

诗人说,把油灯点燃起来,一室通明,正好可以坐下来朗吟诗篇;为此,今宵准备晚些时候入睡,以便多抽出一些时间挑灯夜战。没想到,兴味虽长,而灯油却早早地熬干了,以致全盘打算统统落空。看来,人间事事都应早做安排,"常将有日思无日,莫到无时想有时"。

随园老人在《诗话》中,收录此诗,并加一评语:"余爱其末句,颇近禅悟,故录之。"何谓"禅悟"？人们一般理解是洞达了禅理;但实

[①] 孙啸壑,乾隆年间名士,工诗,善画,精于琴艺。

际涵义,要复杂得多。禅的本意是静虑、冥想,悟与迷对称,指觉醒、觉悟。悟是意义的转化,精神的转化,生命的转化,含有解脱的意义。

我们这些凡夫俗子,且从人生经验、生命体悟角度加以解读。中国古代哲人庄子有一句名言:"吾生也有涯,而知也无涯。以有涯随无涯,殆已!"人生是一次单程之旅,对生命的有限性和不可重复性的领悟,原是人生的一大苦楚。这应包括在佛禅提出的"人生八苦"之中,它当属于"求不得"的范围。由于时间是与人的生命过程紧相联结的,一切作为都要在这个串系事件的链条中进行,所以,古往今来,人们对于时间问题总是特别敏感,备加关注。古人说:"恨不得挂长绳于青天,系此西飞之白日。"然而时间是个怪物,你越是珍惜它,它便越是在你面前疾驰而过。在与时间老人的博弈中,从来都没有赢家。人们唯一的选择是抓紧"当下"这一段或长或短的时间。过去已化云烟,再不能为我所用;将来尚未来到,也无法供人驱使;唯有现在,真正属于自己。与其哀叹青春早逝,流光不驻,不如从现在做起,珍惜这仍在不断遗失的分分秒秒。

但可惜的是,许多人在青春年少时并不知惜取韶光,直到年华老大,百事无成时,才痛悔前尘,但为时已晚。世间许多宝贵的东西,拥有它的人常常并不知道珍惜,甚至忽视它的存在;只有失去了它的时候,才真正认识到它的可贵,懂得它的价值。如同百万富翁体味不到"阮囊羞涩"的困境一样,青少年中很多人不能充分理解中老年人惜时如金、奋力拚搏的急切情怀。

"从今打点未干时",寄寓着过来人的沉痛反思与顿悟。诗人以哲学的眼光,生动的形象,揭示了人生的真谛,内涵丰富,寄慨遥深。

寒士悲歌

醉后题壁

陈浦[①]

贫归故里生无计,病卧他乡死亦难。
放眼古今多少恨,可怜身后识方干!

这是一首写在所谓"康乾盛世"的寒士悲歌。

诗中,寒士陈浦自述其贫病交攻、生死两难的生涯困境,看了令人心酸气噎,悲愤逾常。然而,诗人未止于此,而是更加扩展一步,跳出个人的不幸际遇,放眼古今所有遭逢不偶的才人贤士,为他们同声一哭。这里说到的方干,是唐代的诗人,才识出众,但生性亢直,不肯夤缘求进,科场失意后,便息影山林,郁郁以终。后来,朝廷发现并承认了他的才干,追认他进士及第,但逝者已矣,已经于事无补了。

"可怜身后识方干",字字都浸染着辛酸、凝结着血泪。岂料,诗人竟一语成谶,他又重蹈了方干的覆辙。如果此诗是写在寄诗与随园老人之后,那么,不难想象,他在焦急地等待中,心里该是何等失望,又是多么充满着自信啊!

[①] 陈浦,字楚南,号药堂。乾隆年间寒士。

袁枚在《随园诗话》中记载：陈浦于壬辰年（乾隆三十七年），"与陈古渔（袁枚友人）同来，投一册诗而去。余当时未及卒读，庋之架上，蠹蚀者过半。庚子（乾隆四十五年）春，偶撷读之，乃学唐人能得其神趣者。问古渔，曰：死数年矣。余深悔交臂而失诗人。……呜呼！余亦识方干于死后，能无有愧其言哉？"

像方干这样死后中进士的事，固属少见，但在旧时代，一些高才逸士由于无人赏识，匿身草泽，"没世而名不称"的现象，则比比皆是。正如韩愈在《与崔群书》中所言："贤者恒不遇，不贤者比肩青紫；贤者恒无以自存，不贤者志满得意；贤者虽得卑位，则旋而死，不贤者或至眉寿（长寿。典出《诗经》：'为此春酒，以介眉寿''乐只君子，遐不眉寿'）。"死后得中进士，固然比终古沉埋还算幸运，但毕竟为时已晚，于本人已经失去了实际意义。这个教训，实在是应该牢牢记取的。

关于陈浦，《随园诗话》中还有如下一段记述："余（袁枚）常谓：诗人者，不失其赤子之心者也"。"近人陈楚南《题背面美人图》：'美人背倚玉阑干，惆怅花容一见难。几度唤他他不转，痴心欲掉画图看。'妙在皆孩子语也。"

由《随园诗话》，我又联想到与袁枚同时代而略早的王应奎所著《柳南随笔》，里面也记载了许多时人的轶闻遗事。《随笔》中说："陈在之（玉齐）晚年与同邑邬因仲（载锡）相遇，握手道故，因喟然曰：'吾辈垂髫相友，如昨日事，不谓一转瞬间，各已衰老若此。'因仲曰：'不特老也，且将死矣！'在之曰：'尔我贫苦一生，此事岂尚不免乎？'因仲曰：'免则贫苦无已矣！'"

如果说，陈浦的《醉后题壁》，乃是一首凄怆的寒士悲歌；那么，陈在之与友人的对谈，则是一席苍凉的贫儒哀话。一个作"生非容易死亦难"的苦吟；一个发"不死则贫苦无已"的哀叹。彼此厄运，大体相同；稍有差异的是，陈在之以"十里青山半在城""十里青山忆谢

清及近代 | 203

公"之句,受到了诗翁钱牧斋的激赏,因而,时人咏赞他"一生知遇托青山",而陈浦则直到"易箦之际",也没有接到他所看重的袁简斋的一言嘉许,恐怕也死难瞑目。

看得出来,"生非容易死亦难""不死则贫苦无已",这原是旧时文人的共同厄运。碰巧,遇到一二热肠人、知音者记上寥寥数语,留下几行文字,大约万分之一也占不上;而"恒河沙数"的寒苦士人,则是终其一生没身草莱、沉埋地下,杳无人知。此《寒士悲歌》之所由作也。

良人岂料作凉人

韩城行

吴镇[①]

良人远贾妾心哀,秋月春花眼倦开。
忍死待郎三十载,归鞍驮得小妻来。

清代诗人吴镇出生于甘肃临洮,乾隆年间曾任陕西韩城教谕。此诗当是纪实之作,而内容却具有某种典型性、传奇性。因而不妨看作是一篇二十八字的微型小说,题目就叫《空闺泣血》。

"小说"中有三个人物:无良男子、弃妇(自称为妾)、小妻(实际的妾)。古时丈夫,称为良人。《孟子》"齐人有一妻一妾"章有言:"良人者,所仰望而终身也。"通篇以守家妻子口吻述说:丈夫出外远行经商,我在家里独守空闺,那个滋味真是人情所不能堪,简直像死过一回那样。什么春花秋月,什么美景良辰,对于我来说,都是空花幻境,连眼睛都不想睁开看一看,根本没有那份心思,那份情致。就这样,忍死犯难,足足苦熬了三十个年头,苦等着丈夫能够远行归来。这一天,总算等到了,外面传来了丈夫回归的信息。我略整荆裙,轻

[①] 吴镇(1721—1797),自幼天资颖悟,乾隆年间中举,先后任陕西耀州学正及韩城县教谕。

梳鬓发,高高兴兴、急急忙忙,赶紧跑到路旁去迎接。哎呀,哪里料到,马鞍上还驮着一个娇媚的少妇,风情万种地坐在丈夫的身后。我的心立刻就碎了。天哪!

在这个弃妇身上,闪现着《诗经·氓》中由于"士也罔极,二三其德"而遭到遗弃的卫女的身影,《琵琶行》中"春花秋月等闲度"的商人妇的晶莹泪花。看得出来,这并非个别的、孤立的、偶发的人生惨景,就是说,所谓"痴心女子负心汉"这类人性悲剧的背后,总是深藏着深远的社会、经济、文化基因——这正是旧时代妇女受压迫、遭屈辱、被摧残,成为政治斗争牺牲品、封建礼教殉葬物,沦为妾媵婢妓下场的真正根源。

前面说到《卫风》中的《氓》,其实,同是在《诗经》中,还有《邶风》中的《谷风》,《小雅》中的《谷风》,也都属于弃妇词。女子都是劳动妇女,丈夫原本是农民,开始共同过了几年"贫贱夫妻百事哀"的日子,待到家境富裕,妻子也年老体衰了,丈夫便改变心肠,将她遗弃。《谷风》诗中,女子悲诉:"将(正当)恐将惧,维予与女(汝);将安将乐,女(汝)转弃予。"意思是,正当忧患之时,只有我救助你;等到你富贵安乐了,便将我一脚踢开。韩城妇大约也是如此。如果"良人"开头那些年就心存异念,她还能"忍死待郎三十载"吗?

这就提出一个环境条件能够改变人的问题。西哲指出:人是环境的产物;孟子亦有"居移气"(地位和环境可以改变人的气质)之说。过去我们谈得较多的是封建君主如越王勾践、汉帝刘邦等可与共患难不可与同富贵,其实,这种现象在普通人群里也不是没有的。如何认识环境条件可以影响人、改变人,这是一个值得认真讨论的问题。

最后,题小诗一首:"思妇竟然成弃妇,良人岂料作凉人!早知世上居移气,宁嫁村夫委路尘。"

仕路难行

怅惘

蒋士铨[①]

自古遭逢不易酬,身微敢乞主恩优。
当官担子如山重,未上肩时已白头。

诗中抒写作者对于仕途艰险、宦海波澜的感慨,也反映了他再度入仕的矛盾心情。作者生当所谓皇清盛世的中后期,胸怀腾飞壮志,可是,仕途并不顺畅,三十三岁才中进士,供职翰林院,久未升迁,七年后便毅然辞官南归。待到五十四岁这年,乾隆帝南巡,屡问及之,并许之以名士。经人举荐,于是力疾入京,在国史馆记名以御史补用。本诗便是写在赴京途中。

诗人说,自古以来,读书士子总是遭逢不偶,很难有得酬夙愿的机遇;以我这样一个身世卑微的人,岂敢冀望于皇帝的优宠。现在居然获得了,自是感激涕零。但是,我也深知,当官谈何容易,这副担子简直重如泰山,微躯势难胜任;何况,又以带病之身,担子还没上肩,头发就已经白了。他说的是实际情况,当时半体偏瘫,勉强应付六个

[①] 蒋士铨(1725—1785),字心余。乾隆年间进士。与袁枚、赵翼并称"江右三大家",共同领导了乾嘉诗坛。论诗主性情,格调高雅,意境阔大。

年头,最后终于以病辞归,居家一年就病逝了。

诗中后两句,结合个人状况,讲了当官两个方面的境遇。一是,官不好当,责任重大,所谓"当官担子如山重";不仅如此,而且,"拜迎长官心欲碎,鞭挞黎庶令人悲"(高适诗),终日不堪其苦。他有一首《柳阴双马图》的题画诗:"俯首双辕没烂泥,疲骡瘦蹇仰天嘶。何人解惜驰驱苦,别写偷闲八马蹄。"这正是他在京为官时窘状的生动写照。

二是,苦奔苦曳了大半辈子,最后总算熬得一官半职,但是,已经垂垂老矣,"未上肩时已白头"。就此,梁启超在《少年中国说》中,有过形象的描述:今之"握国权者皆老朽之人也。非哦几十年八股,非写几十年白折,非当几十年差,非挨几十年俸,非递几十年手本,非唱几十年喏,非磕几十年头,非请几十年安,则必不能得一官、进一职。其内任卿贰以上,外任监司以上者,百人之中,其五官不备者,殆九十六七人也。非眼盲则耳聋,非手颤则足跛,否则半身不遂也。彼其一身饮食步履、视听言语,尚且不能自了,须三四人左右扶之捉之,乃能度日,于此而乃欲责之以国事,是何异立无数木偶,而使之治天下也"!

这种状况,在封建时代是常见的。大约与蒋士铨同时代,老书生谢启祚,屡试不第,直到九十九岁才考中了举人。他曾写了一首自嘲诗,以老处女自喻,抒写其中举之后苦辣酸甜、百感交集的心情:"行年九十九,出嫁弗胜羞。照镜花生面,光梳雪满头。自知真处女,人号老风流。寄语青春女,休夸早好逑!"据说,这位谢老先生一直活到一百二十多岁。幸亏他得享高寿,不然,也就衔恨于九泉,永抱无涯之戚了。

开到十分花事了

题王石谷画册(其一)

蒋士铨

低丛大叶翠离离,白玉搔头放几枝。
分付凉风勤约束,不宜开到十分时。

  清初著名画家王石谷(王翚),运笔构思,迥出时流。诗人借助为他题画,在赞美其高超的艺术表现力的同时,抒写了个人的哲学见解和独特的审美感受。诗句蕴藉、活泼,熔画意、诗情、理趣于一炉,手法十分高明。
  开头两句,紧贴着画面上的玉簪花做文章,先写低丛大叶、翠色纷披的花叶,再描绘形似女子首饰玉搔头的花蕊。"玉搔头",为高贵女人玉制的发簪,当年汉武帝的李夫人曾以玉簪搔头,故而得名;后来又被大诗人白居易写进《长恨歌》里:"翠翘金雀玉搔头"。画家所画的是大量的花蕊正含苞待放;而刚刚开放的不过几枝。应该说,这是玉簪花蓄势待发、生命力最旺盛、花容最美丽的时刻。
  诗人之所以这样描写枝叶、花朵,不过是铺排造势,以便隆重地推出下文。三、四两句说,赶紧吩咐萧飒的金风,快快对玉簪花加以约束吧——不能让它任着性子,这么肆意地开下去了!为什么呢?

一切事物都是盛极必衰,鲜花开到十分,正是它的生气行将耗尽,美丽逐渐消失之时,等待着它的必然是枯萎、凋残。言念及此,我们对于诗圣杜甫"繁枝容易纷纷落,嫩蕊商量细细开"(《江畔独步寻花》)之句,就有切实的理解了。

"不宜开到十分时",还使我联想到佛教禅师的"法演四戒"。佛典记载:佛鉴禅师应请,前往舒州太平寺做住持,临行前,五祖法演对他训示说:当一个住持,有四件事要特别注意,第一,权力不可用尽;第二,福气不可享尽;第三,规矩不可管尽;第四,好话不可说尽。为什么呢?赞美的话说太多了,人心就会产生变化;规矩如果过于严格,会迫使人去钻旁门左道;好处自己享用尽了,势必被人孤立;如果无限扩张权力,祸事必定会发生。佛鉴听了,深为敬服。

到了明代,著名文学家冯梦龙从适应世俗需要出发,在《警世通言》中,又对"法演四戒"加以修改充实。仍然是四句话:"势不可使尽,福不可享尽,便宜不可占尽,聪明不可用尽。"而晚清名臣,著名政治家、思想家曾国藩,则针对当时所处的险恶处境,在家书中写道:"余蒙先人余荫,忝居高位,与诸弟及子侄谆谆慎守者,但有二语,曰'有福不可享尽,有势不可使尽'而已。福不多享,故总以俭字为主,少用仆婢,少花银钱,自然惜福矣";"家门大盛,常存日增一日而恐其不终之念,或可自保。否则颠蹶之速,有非意计所能及者","吾兄弟当于极盛之时,预作衰时设想,当盛时百事平顺之际,预为衰时百事拂逆地步"。

上述种种,讲的都是物极必反、不到顶点、勿走极端的道理,体现了中华传统文化中的人生智慧。

妙在模糊

题王石谷画册(其二)

蒋士铨

不写晴山写雨山,似呵明镜照烟鬟。
人间万象模糊好,风马云车便往还。

  诗人赞颂王石谷的山水画,说他专写雨山而不写晴山,意在撷取一种模糊的美学效果。画面上的雨里山峦,宛如明镜上呵出一层水汽,照映出来的美女发髻一般的烟云,朦朦胧胧,迷迷蒙蒙,留给人们无限的想象空间。看来,人世间的万般景象,还是以模糊为好。正是这种烟鬟弥漫、扑朔迷离的情境中,那风一样的马、云一般的车更便于纵横驰骋,去去来来。魏晋时的《吴楚歌》有"云为车兮风为马"之句,这里属于借用。

  诗人在这里谈了两个方面的审美体验。其一,指出了写景的不二法门。他以写山为例:晴山一览无余,没有多少施展笔墨的空间;而雨山,如烟似雾,亦实亦虚,看也看不透,写也写不真。这时的景色更具诗思美蕴。南宋诗人杨万里有《小雨》七绝:"雨来细细复疏疏,纵不能多不肯无。似妒诗人山入眼,千峰故隔一帘珠。"道尽了山峰在雨的珠帘笼罩下的空灵、迷蒙、曼妙、神奇之美。

其二，以哲学思维，从宏观层面上，总结出艺术创造、审美感受的一种规律性认识。"人间万象模糊好"，这是艺术创造中普遍适用的一条经验。南朝文学家鲍照《舞鹤赋》中有"烟交雾凝，若无毛质"之句，展现在我们眼前的，是舞鹤的似有若无、"返虚入浑"的唯美境界。概言之，就是着意提倡一种朦胧之美。何谓朦胧？一般认为，是指模糊、虚幻、空灵、缥缈，若隐若现、若即若离的状态。而朦胧之美，是艺术家审美过程中的一种视角体验和心灵感受。

落实到各种艺术门类，作为一种诗情画意的审美意境，古有"诗贵曲，画贵蓄，书贵藏，学贵悟"之说。音乐主张空灵飘逸，"余音绕梁，三日不绝"；诗词强调含蓄委婉、余韵悠然，"曲终人不见，江上数峰青""二十四桥仍在，波心荡，冷月无声"；书法重视气韵神采，"点划狼藉，使转纵横，乍显乍晦，若行若藏"（孙过庭语）；而表现最突出、活动天地最广阔的则是绘画，画家们在光色气雾、时空幻化中，在似与不似之间，在静与动、明与暗、虚与实、近与远的叠合、对比中，施其所长，尽其能事。今人徐悲鸿名画《漓江烟雨》，正极朦胧之妙。其他，如郑板桥画竹，似似非似；齐白石画虾，似真非真；黄胄画驴，似形非形。在他们的笔下，太阳是变形的，花草是奇异的，线条是扭曲的，意境是朦胧的。

诗人很讲究词义，说"人间万象"，而未说"人间万事"，既是突出美学欣赏这一主题，同时也讲究话语的分寸把握——如果说"万事"，那么，科学技术或者社会人文方面的良知、大义，必然也包括在内，一概提倡朦胧、模糊，就不尽合理了。

当然，从诗人的身世、阅历看，"模糊"云云，存在着发泄牢骚、愤世嫉俗，即如郑板桥所谓"难得糊涂"的因子，但这仍然停留在待人处世以及仕途经济层面，而与丧失原则、同流合污、不分是非、不负责任划清界限。

人生难得一知己

寄随园先生

蒋士铨

鸿爪春泥迹偶存,三生文字系精魂。
神交岂但同倾盖,知己从来胜感恩。

《随园诗话》记载,袁枚前往扬州,路过南京北郊燕子矶宏济寺,发现两首题壁绝句,甚为欣赏,但诗后只署"苕生"二字,不知其为何人。遂将两诗录下。归访年余,承熊涤斋告知,其人姓蒋,名士铨,乃江西一位才子。这样,他们就互通音信了,但是,其时还未曾见面。本诗就是蒋士铨寄给随园先生以表达诚挚谢意的。

第一句,引用苏东坡诗句"雪上偶然留泥爪,鸿飞那复计东西"的典故,说他的诗句偶然存留下了痕迹,结果入了先生的法眼;第二句,"三生文字"系指他的题壁诗中"现身莫问三生事,我到人间廿四年"之句。佛家称前生、今生、来生为三生。"系精魂",意为幸被先生系念。全句的言下之意,是自己对此感恩不尽。第三句,概括地描述他们之间的交往。说古人有"倾盖如故"的说法,我们神交已久了,岂止是等于倾盖相逢,意为情感更是深厚得多。最后点出主题,知己之遇超出一般的感恩多多。此为全诗之要领所在。

之所以得出"知己从来胜感恩"的结论,在于感恩与知己虽然同为人际交往中的"正能量",都是值得充分肯定的,但二者处于不同的层次,体现不同的境界。感恩的对象、范围可以是非常广泛的,可说是遍布于人生的各个时段、各个场合,大而至于命运、际遇、事业的支持,小而表现为举手投足之劳、嘘寒问暖之意;而知己就不同了,"人生得一知己足矣",平生不可能遇到很多。更主要的在于,知己处于更高境界,涉及精神境界、志趣、抱负,需要志同道合;而感恩却不必要求精神的契合、情志的相通,随便一件日常细事,只要予人以帮助,都可获得感激与报答。诗中,蒋士铨对于袁枚,当然也是抱着感恩的态度,但他却是上升到知遇之恩、文坛知己甚至人生导师的高度,这就不同凡响了。

这里讲知己胜过感恩,只是就层次而言;其实,能做到感恩,知恩图报,有恩必报,又何尝容易!世上受恩深而淡忘如遗,甚或反目成仇、恩将仇报的也数不在少。有感于此,清人何献葵《题千金亭》诗云:"空亭千古对平波,野渡斜阳犹客过。莫怪无人留一饭,报恩人少受恩多。"清代名著《阅微草堂笔记》中载有这样一个故事:献县的一个县官,对待下属官吏及差役极有恩德。县官死后,家属还在官府里,官吏和差役没有一个去慰问的。勉强喊了几人来,都凶恶地对着她们,不再像早先那样。夫人愤慨,在灵柩前十分悲伤地哭泣,疲倦了就打起瞌睡来。迷迷糊糊中,见县令对自己说:"这类人没良心,这是他们的本性。我希望他们感谢我的恩德已经大错了,你责怪他们忘恩,不又错了吗?"夫人忽然醒来,于是,不再埋怨责怪了。

古有明训:"人有恩于我,不可或忘也;我有恩于人,不可不忘也。"说的是,施恩不应望报;而受恩者则不可忘怀,所谓"滴水之恩当以涌泉相报"。这是我们中华民族固有的传统美德与社会公德,不应等闲视之。

矛盾无处不在

望晴

何士颙[①]

风都有意收残暑,云尚多情恋太阳。
莫怪人间无易事,一晴天且费商量。

这是一首颇有趣味的纪感抒怀诗。诗人把风和云拟人化了。说,值此夏秋之际,掠地的西风有意要把残余的暑热收拢回去,不让它继续发威肆虐了;可是,高空的云朵却出面干预,表明了它热恋阳光、消受温暖的浪漫情怀。两方面各持己见,争执不下。这样一来,老天爷可就为难了——双方兼顾,力所不能;偏向一方,终觉欠理。这时候,诗人不禁慨然兴叹:咳!怪不得人世间没有容易之事,就连一个晴天都要争来争去,费尽周章。

这里说的是实话。按照我们的直觉,人间四月天,温煦的春光普照大地,四野芳菲,生意盎然,"水墨画图春淡淡,莺花庭院日迟迟",应该说是一年中最美好的时光了。可是,明人冯梦龙编的《醒世恒言》中却有这样的记载:"江南有谣云:做天莫做四月天,蚕要温和麦

[①] 何士颙(1726—1787),字南园。清代诗人。一生贫困多病,以布衣终老。

要寒。秧要日时麻要雨,采桑娘子要晴干。"这同何士颙所吟咏的如出一辙。

实际上,诗人是要阐述一番人生至理。就整体来说,反映了事物矛盾的普遍性与多样性。就是说,事物是多种多样的,自然要有不同的需求、不同的意向、不同的选择。它告诉我们,执掌权衡者必须放眼全局,树立整体观念,统筹考虑,兼顾各方利益。而从局部来说,则须认识到,凡事难求两全,获得这个,就要放弃那个,不能设想满足一切需求。这是客观存在,不以人的意志为转移。冯友兰先生曾说:"世界本非为人而设,人偶生于其中耳";"此世界既非为人设,故其间之事物,当然不能尽如人意"。——这个"人"是就整体而言,至于某些个体(不管其地位多高、权势多重)就更不要说了。可是,有些人却缺乏这种清醒意识,总要熊鱼兼得,"万物皆备于我"。这样,轻则带来无穷的苦恼,"求之不得,寤寐思服";重则触霉头、吃苦头、跌跟头。

关于本诗作者,袁枚有过较为全面的评论:"何子南园,生而与诗俱来者也。虽为秀才,不喜制艺;虽读书,不矜博览;虽为诗,不事驰骋。其志约,故边幅易周;其思专,故性情易得。"

日日新　又日新

论诗（五首之一）

赵翼[①]

满眼生机转化钧,天工人巧日争新。
预支五百年新意,过了千年又觉陈。

组诗五首,看似信手拈来,脱口而出,实则具有精辟深刻的理论内涵,可说是创新精神的颂歌。

中华民族是一个富有创新理念的民族,早在三千五百年前,商朝的开国君主成汤,就把"苟日新,日日新,又日新"这九字箴言,刻在沐浴之盘上,用以警戒和惕励自己。因为社会要发展,人类要进步,就必须永葆进升态势、勃勃生机。而这种生机、活力,并非自然产生的,它来源于永不停步的开拓创新。《吕氏春秋》有言:"流水不腐,户枢不蠹。"求新、求变,既是天时、人事的既定法则,更是永葆旺盛生机活力的根本途径。

表现在诗歌创作上,清代性灵派主将之一赵翼认为,既然社会人生,万事万物,都是遵循着"苟日新,日日新,又日新"的规律,那么,

[①] 赵翼(1727—1814),号瓯北。乾隆年间进士。长于史学,诗文兼擅,与袁枚、蒋士铨齐名。论诗主张推陈出新,倡导独创,反对模拟,喜议论,善用典。

随化工而运转、引领时代风骚的诗歌,又怎能泥古不化,因循守旧、陈陈相因呢？诗中说,大自然化育万物,就像制陶人不断地转动钧范（模具）,创造出了满眼生机。而诗人为了能够不断地开掘新意,便日日与天工斗巧争奇。正如他在另一首诗中所言:"诗文随世运,无日不趋新。"

说到这里,诗人笔锋一转,进一步引申话题,说:不过,大自然和人类社会,却是不断地运动发展的,新事物,新思想层出不穷；即使诗人们能够提前预支五百年的新意,那么,到了一千年就又觉得陈旧了,终竟脱不开被淘汰的命运。

赵翼为诗,师法宋人,重理蕴,善议论,而在写法上则常有创新,别具特色。以本诗为例:前两句,诗人以写景和比喻的方式开展议论,使原本抽象的道理,变成了具象直观、可触可感的图景。后两句,又创造性地通过数字对比,让人们清晰地认识到这种变化多端、新陈代谢的必然性。形象,活泼,富有说服力和感染力。

各领风骚

论诗(五首之二)

赵翼

李杜诗篇万古传,至今已觉不新鲜。
江山代有才人出,各领风骚数百年。

在前一首诗的基础上,诗人又以实际例证,从发展的观点出发,阐明诗篇创新原属必然的道理。全诗不假借喻,更不用典,通篇都是议论,其主旨是倡导与时俱进,不断创新,绝不能故步自封,更不能泥古、模古。诗人说,古往今来,任何人也不能千秋万世独领风骚,一般的诗人不用说了,即便是号称"诗仙""诗圣"的李白、杜甫,他们的诗篇万口争传,历代称颂不已,无疑是登上了时代的巅峰,但是到了今天,他们所反映的内容、抒发的情感、采用的手法、呈现的意象,已经不能充分适应时代的要求,读起来感觉毕竟还是缺乏新鲜感了。

似此旷世惊人之语,前人未曾说过,但其立论基础却是确切不移的。它并非全盘否定李、杜诗篇的卓越成就与文学史上的历史地位,只是立足于社会发展、时序更迭,从读者感受这一角度,指出在审美意识、鉴赏情趣方面,觉得"不新鲜"了。一切事物都在发展变化,既然相互蝉联的唐、宋诗人之间,还有主情、主理之别,怎能设想几百年后的读者,仍然停留在开元、天宝之际的美学追求呢?

这样,诗的后两句就自然导出一个新的推论:推陈出新、革故鼎新,是社会发展的规律,每一个时代都会有杰出的诗人出现,以其富有时代特色与创新精神的诗作,在一定历史阶段的诗坛上,开创诗风,各领风骚。"风骚"一词,源于《诗经·国风》《楚辞·离骚》,一般代指文学。在文坛居于领袖地位或在某方面领先,称作"领风骚"。

切忌人云亦云

论诗(五首之三)

赵翼

只眼须凭自主张,纷纷艺苑漫雌黄。
矮人看戏何曾见,都是随人说短长。

创新的一个重要体现,就是要独具只眼,抒写性灵,张扬个性,别出心裁。这也是"性灵派"诗论的一个核心论点。这首诗所强调的,就是诗人观察问题、表达见解、写作诗文,要有自己独立的见解,不能随声附和,人云亦云。"漫雌黄",意为随便品评、议论。雌黄,矿物名,晶体,橙黄色,可制颜料。古人抄书、校书,常用雌黄涂改文字,因此,称乱改文字、横加批评为"妄下雌黄"。

诗人以"矮人看戏"的生动比喻,辛辣而风趣地讽刺了文坛诗苑中常见的说长道短、漫下雌黄的现象。"矮人看戏"二句,源出《朱子语类》。朱熹在解读《论语》中"吾道一以贯之"时,说道:"后人只是想象说,正如矮人看戏一般,见前面人笑,他也笑,他虽眼不曾见,想必是好笑,便随他笑。"而朱熹所依据的,又是他的叔祖、文学家朱弁在《曲洧旧闻》中所言:"秉笔之士所用故实,有淹贯所不究者,有蹈前人旧辙而不讨论所从来者,譬侏儒观戏,人笑亦笑,谓众人决不误

清及近代 | 221

我者,比比皆是也。"

其实,古人对于这种群从趋同的日常习惯,特别是创作、批评中的缺乏创见、人云亦云、盲目跟风现象,一贯持批评态度,以至形成了与"矮人看戏"相近的许多成语。诸如"鹦鹉学舌"(宋·释道原《景德传灯录》:"如鹦鹉只学人言,不得人意。");"拾人牙慧"(比喻拾取别人的一言半语当作自己的话,东晋时殷浩说他外甥:"康伯连我牙齿后面的污垢还没有得到,就自以为了不起。");"一犬吠形,百犬吠声"(东汉·王符《潜夫论·贤难》说,一只狗叫,许多狗闻声也跟着叫,形容一些人不辨虚实、真伪,随声附和,盲目跟从);等等。

本诗中赵翼所论,是与其诗文必须创新的主张完全一致的。在《瓯北诗话》中,他曾针对元好问批评苏东坡"百态新"的论断,尖锐地指出:"'新'岂易言?意未经人说过则新,书未经人用过则新。诗家之能新,正以此耳。若反以新为嫌,是必拾人牙后,人云亦云。"

宵小能量大

一蚊

赵翼

六尺匡床障皂罗,偶留微罅失讥诃。
一蚊便扰人终夕,宵小原来不在多。

作者说,为了对付蚊虫叮咬,本来挂上了蚊帐,严格加以防范,只因偶然的疏失,留下了缝隙,所谓"百密一疏",使得一个蚊子乘隙钻了进来,结果终夜遭到骚扰,不得安眠。看来,坏人或者小人,能量都是蛮大的,即使只有一个,也会闹得你不得安宁。

宋代诗人曾几也有一首《蚊蝇扰甚戏作》:"黑衣小儿雨打窗,斑衣小儿雷殷床。良宵永昼作底用?只与二子更飞扬。……挥之使去定无策,葛帐十幅眠空堂。朝喧暮哄姑听汝,坐待九月飞严霜。"蚊蝇作祟,驱除无策,只好寄望于九秋的严霜了。

诗人小中见大,通过生活中一件细微的疏忽所造成的失误,悟解出两个重要经验教训,或者说人生哲理。

一是,小和大的关系。对于"六尺匡床"上满挂着的蚊帐来说,一个"微罅",确是很小的漏洞。但是,正是由于这个很小的漏洞,使得整个蚊帐失去了防范的效力而成为废物。中国古籍《韩非子》有

"千丈之堤,溃于蚁穴"之语;在外国,也有同样内涵的谣谚:"少了一枚铁钉,掉了一只马掌。掉了一只马掌,失去一匹战马。失去一匹战马,败了一场战役。败了一场战役,毁了一个王朝。"说的是,1485年,英王理查三世与亨利伯爵在波斯沃斯展开决战。此役将决定英国王位归于谁手,结果是英王失败了——作为前线总指挥,他的战马由于马掌脱落,在关键时刻跌倒了。所以,汉·刘向《说苑》中有"患生于所忽,祸起于细微"的警语。

二是,多和少的关系。向来,"宵小"的能量都是很大的,所以不在多少。南宋诗人杨万里到潮州去,夜宿海阳馆,由于蚊子作祟,终夜不能入睡,因作七绝:"腊前蚊子已能歌,挥去还来奈尔何。一只搅人终夕睡,此声原自不须多。"赵翼此诗,当是受此影响。

加之,"小人无耻,重利轻死。不畏人诛,岂顾物议!"(邵雍《小人吟》)正由于"无耻",他便可以无所不用其极;而且,他在暗处,使你防不胜防。赵翼所面对的,只是"一蚊",并非曾几诗中成群结阵、轰轰喧闹的蚊蝇,那就已经"终夕"无法入睡,看得出它的破坏作用的巨大。"宵小由来不在多"之句,警示意义尤为深刻。

本诗运用比喻手法,即事明理,寄怀深远。诚如当代诗评家沈金浩所分析的:"比喻常常可以造成形象生动的效果。它的基础是本体与喻体之间的相似性。巧妙的比喻往往还能带来一个联想空间,增强本体的可感效应,使读者在理性的认知之外,又感觉到许多东西。"

"第一个历史活动"

江边鸥鹭

赵翼

觅食终朝傍水湄,晚来戢羽静无为。
始知鸥鹭闲眠处,也在谋生既饱时!

前两句写海鸥、鹭鸶这两种水鸟的生活形态。当它们饿着肚子的时候,整天傍着水湄辛勤地寻觅鱼虾,以求饱腹;到晚上吃饱了,便收敛起翅膀("戢羽"),悠闲地待在沙滩上,无所事事。后两句由此生发议论:鸟类和人一样,只有到了生活有了保障,起码是不致饿着肚皮,才能静下心来,闲适地充分品味生活的乐趣。

诗中因小见大,阐释了社会发展中一个普通而重大的原理。就个体的人来说,必须首先解决生命存活的基本物质需要,而后才能谈到其他方面的需要;而从社会历史发展来说,只是到了在满足社会成员生存需要并且有所剩余之时,部分成员才有可能从事物质生产以外的精神文化活动。也正是为此,马克思、恩格斯才把物质生产活动称为人类生存的"第一个历史活动""一切历史的第一个前提"。(引自《德意志意识形态》)

回过头来,再说鸥、鹭。以此类题材入诗,宋人极多,但多是从闲适角度着墨,诸如"日闲鸥鹭自飞鸣"(王令)、"日斜鸥鹭满兼葭"(张耒)、"沙头鸥鹭更相亲"(吴芾)、"鸥鹭无情亦有情"(释宝昙),不一而足;但到了清人赵翼笔下,却独具创见,别有寄托。这固然反映了"性灵派"诗人的风格特点;而更主要的还是其思想的深刻,也有赖于现实生活的真实感受与生命体验。

  清朝以科举等手段牢笼士子,但所给予的物质待遇甚低。即以乾隆时代的一些诗人为例。黄景仁家庭生活极度窘迫,从他的诗句中就可看出:"寒甚更无修竹倚,愁多思买白杨栽。全家都在风声里,九月衣裳未剪裁""一梳霜冷慈亲发,半甑尘凝病妇炊。寄语绕枝乌鹊道:天寒休傍最高枝"。那么,身处储材之地的翰林院、地位也堪称显赫的张问陶,又怎么样呢?生活之艰困出乎人们意料。"谋生凭禄米,计月望官钱""忍饥辞债主,烹雪祭财神",有一首诗标题就是"夏日酒贵,衣装典质殆尽"。这在他的专门记述三年翰林生涯的《京朝集》中,随处可见。赵翼本人的生活条件,与他们大体相近,类似诗句也常见于《瓯北集》中。由此可见,他的这首七绝,亦属有感而发。言外之意是,就连江边的鸥鹭,若要"戢羽""闲眠",也都得在"谋生既饱"之时;至于那些除了自身需要,还要奉老育幼的寒门士子,当然就更不用说了。

云山变幻

看山

赵翼

物色难穷意想间,始知阅历老犹悭。
千形万状无成格,天上浮云地上山。

题目是"看山",实际上,作者所要阐明的乃是他的认识论。前两句,从议论入手,说对自然风物的认识,凭着主观臆想是难以穷尽的,绝对离不开实践、阅历、体验的支撑。联系到自身实际,现在深刻地领悟到:尽管年龄已经很大了,但阅历仍然还很欠缺("悭")。后两句,通过人们常见的"天上浮云地上山"的千形万态,绝无成格,进一步阐述上面的道理,并扣住了"看山"这个题目。

"天上浮云如白衣,斯须变幻为苍狗"(杜甫句);"山色无远近,看山终日行。峰峦随处改,行客不知名。"(欧阳修诗)天上浮云、地上山峦,确是千形万状,变化多端的。这是就其自身形态的特点得出的结论;若是把具有主观意志的人的因素,诸如视野、视角与心境的差别加进去,那就不知道要复杂多少倍了。

"朝菌不知晦朔,蟪蛄不知春秋""夏虫不可以语冰"——自身条件限制了认知的视野。至于受心境的影响,看山便会有绝大的差异,这可说是俯拾皆是。唐朝宰相李德裕,六十三岁贬谪海南,离京时写诗:"碧山似欲留人住,百匝千遭绕郡城。"哪里是山要留人?分明是自己对京城与朝廷的眷恋。同样,柳宗元的"海畔尖山似剑铓,秋来处处割愁肠",也是他在贬谪生涯中的意念、感觉。宋人蔡宽夫对此有所论列:"子厚(柳宗元字)之贬,其忧悲憔悴之叹,发于诗者,特为酸楚。"

同是这座山,人在四时观看,形态迥然不同。宋代画家郭熙说了:"春山淡冶而欲笑,夏山苍翠而欲滴,秋山明净而如妆,冬山惨淡而如睡。"云和山,相逢偶然,去留无意,原本互不关涉,可是,在元曲作家张养浩看来,却是:"云来山更佳,云去山如画。山因云晦明,云共山高下。"一经加进诗人的观感与判断,山也好,云也好,就都灵动起来,般般各异。

其实,何止"天上浮云地上山",大千世界,万事万物,包括人生旅程在内,又有哪一样不是复杂多变,难以穷形尽相,尽言其究竟的?这里牵涉到认识论的基本原理。应该说,客观实际是丰富多彩的,是无限的;而作为现实与有限的存在物,人的想象能力、认知能力、表现能力,按它的个别实现和每次的现实来说,则是有限的。因为人的思维都是在完全有限地思维着的个人中实现的,不能不受到自身条件和时间、空间的制约。作为十八世纪的诗人,赵翼不可能预知未来的马克思主义这一科学的论证;但是,凭着他的切身实践和丰富体验,却也朦胧地摸索到某些个中三昧。

重视"自致角色"

草花略灌,辄欣欣向荣,
乃知贱种尤易滋长也

赵翼

草花谁灌氿泉清,偶荷滋培倍发荣。
始悟六朝中正品,用寒人转奋功名。

作者从草花长势蓬勃、生机旺盛的自然现象,领悟到出身微贱的人更会奋力拼搏,更易取得成就的道理。说,没有谁给草花着意灌过清泉,它从来都是自生自长,靠天照应的。只要偶尔得到一点点培植,就会加倍地繁荣、滋长。从这里悟解到"九品中正制"的弊端,只从出身于豪门世族的人士中选拔、任用官员,结果,官吏不思进取,造成执政能力低下,吏治日益颓废、腐败;反过来,倒是那些出身寒门的人士,更加奋力功名,渴求上进。

"九品中正制",是魏晋南北朝时期重要的选官制度,它上承两汉的察举制,下启隋唐的科举制,在中国古代政治制度史中占有重要的地位,是中国封建社会三大选官制度之一。在豪门世族极为注重家世、谱系的情况下,"九品中正制"把门第出身作为品评人材、选拔官员的首要标准,划分地方人士为九个等级(品),朝廷按等选用,结果形成了"上品无寒门,下品无世族"的局面。

　　社会学中有"先赋角色"与"自致角色"之说。前者是指建立在血缘、家庭等先天因素基础上的社会角色,通常无需努力而自动获得,因此也称自动角色、归属角色;而后者与之恰相对应,需要凭借自己努力而获得,所以称为自致、自获角色。由于需要通过自身努力来获得,凭"竞争上岗",自然就要刻苦上进,奋力拼搏。这就是赵翼所说的"用寒人转奋功名"的道理。

　　诗人早年孤苦贫困,中期仕宦参军,壮岁归隐田园,他对底层与上层社会均有亲身经历和深切感受,所以,诗中多有独到的发现、准确的判断,本诗即其显例。

矛盾转化　顺逆翻覆(一)

漓江舟行(二首选一)

赵翼

舟行连日上滩迟,稍喜扬帆疾若驰。
才得顺风河又转,世间那得称心时!

诗人连日在漓江上航行,由于是逆水上滩,船行十分艰难、缓慢,总算盼到了顺风吹来,一帆疾驶,畅行无阻;可是,没过多久,河身转弯了,结果又由顺风变成了逆风。诗人慨然兴叹:人间万事,称心的时候真是太少了!

赵翼寿高、体健,阅历极为丰富。足迹遍天下,江南沃野、塞外穷边、瘴疠山乡、滇云粤峤,都曾饱游饫览。所以,日常生活中的各种体验都丰富而真切。品评他的这首七绝,我还联想到他的仕途经历。五次科考,他全都落第;直到三十五岁才考取了第一名。不料朝廷晋见时,乾隆皇帝以其为江浙人,历朝状元太多,便把从来未出过状元的陕西的王杰与他互换,这样便成了第三名。此后当了六年翰林,本来有望层楼更上,结果,自豪感还未受足,又被皇帝钦点,到广西最穷困的镇安担任知府。"稍喜扬帆疾若驰","才得顺风河又转",他体会得再深刻不过了。

从习闻惯见的日常生活小事中,发现、引出社会、人生、前途、命运方面的大道理,意蕴深邃,而且形象鲜明。

本诗最大特点,是富有哲学理蕴,从四句诗里我们可以悟出一些人生至理、生命智慧:

一是,事物的矛盾在不断地转化。顺利孕育着挫折,成功蕴含着失利,矛盾依一定的条件,总在不断地转换着。

二是,反映了事物的必然性与偶然性。船只在河流中行驶,尽管千折百曲,但只要驶动,前进是必然的,迟早总会到达目的地,这是必然性。而在行驶过程中,会因为条件的改变,或遇顺风、顺水,或遇逆风、逆水,从而影响着前进的速度与方向,这就带有偶然性了。如果说,必然性是一万;那么,偶然性就是万一了。

三是,在人的生活中,偶然性无处不在,人的一生中充满偶然性。偶然性性质不同,有的是危机、祸患,有的会带来机遇,偶然性无法预测,但并非神秘,智者可以做出判断,加以提防或运用。

矛盾转化　顺逆翻覆(二)

顺风歌(四首选一)

赵翼

连朝舣棹洞庭边,一日开帆路半千。
此理眼前谁悟得,顺风船即阻风船。

　　诗中说,航行江上,因风受阻,只好在洞庭湖边停船靠岸("舣棹"),已经连续几天了。这天可好,赶上了顺风,扬帆疾驶,一天工夫竟然前行了五百华里。说到这里,诗人却出人意外地劈头来了一句:顺风船也是阻风船——这个眼前的道理,人们却未必懂得。
　　现在就来研究,为什么说"顺风船即阻风船"呢?最简单的回答,就是:对呀!现在的顺风船,就是前几天的阻风船啊。这种解释,不能说没有根据,但是,尚处于粗浅层次,未能穷理尽性。起码还有三层道理,可供挖掘:
　　一是,从彼此角度说,都是航行在江面上,就此船来说,是赶上了顺风;那么,迎面而来的彼船,不是正在遭遇阻风吗?
　　二是,从往返角度说,有去必有回——同是这只船,到达目的地之前,你是乘着顺风;而当你回航返棹时,就恰是迎着顶头风了。你既然饱享顺风的便利,就应该做好承受阻风的心理准备。

三是，就外在条件说，船行江上，除了风向，还直接受到流向的制约。本组七绝的第四首，就讲了这一点："深心最是老艄公，劝客休为顾盼雄。正饱帆时江一曲，顺风又作打头风。"

赵翼还有一首《舟行》七绝："水风双顺可兼程，却教来船何日行？他趁顺风吾顺水，天心原自最公平。"诗人说，最理想的舟行，当然是既顺风又顺水了，那样就可速度加倍；但是，若是这样的话，对面的来船该怎么办？人家还走不走了？看来，最好是便宜大家都占点——他趁顺风，我趁顺水。天心原是最公平的，我们还是不要违背为好。

诗人饱经沧桑，阅历丰富，从生活经验中悟出矛盾转化、辩证分析、讲求适度等多方面道理，避免思维方式的绝对化。作为一位生活在十八世纪的封建文人，能有如此识见和理论修养，着实难能可贵。

异化劳动的成果

闲阅史事六首(选一)

赵翼

运石飞砖造塔忙,冯熙计虑亦深长。
塔成但见高千尺,谁见人牛死道旁!

《魏书》本传记载,冯熙为北魏王朝著名外戚,乃冯太后之长兄,在为洛州刺史时,为政并不仁厚,却虔信佛法,自出家财,在各个州镇修建佛塔多达七十二处。而这些塔寺大多建筑在高山峻阜之上,运输材料艰难,施工条件恶劣,造成民工与耕牛大量死亡。有的僧人加以劝止,而冯大人却说:别看现在怎样艰难,等到工程告竣之后,人们所见到的只是佛塔,又有谁知道民工、耕牛大量死亡的事呢?

本诗所阐述的,就是这一史实。

应该指出,冯熙为政,原本多无足观,特别是到处造塔,劳民伤财,民不堪命,更是应予谴责和否定的;——这种奴役性、强制性的劳动,按照马克思的说法,属于"异化的劳动"。"对工人来说是外在的东西,也就是说,不属于他的本质;因此,他在自己的劳动中不是肯定自己,而是否定自己,不是感到幸福,而是感到不幸,不是自由地发挥自己的体力和智力,而是使自己的肉体受折磨、精神遭摧残。……他的劳动不是自愿的劳动,而是被迫的强制劳动"。可是,诗中却说他"计虑深长",似乎难以理解。原来,这里反映了一种辩证思维,一种历史的规律性。从唯物史观来看,作为客观存在的劳动者的创造物,无论其为德政下产生的,还是虐政下产生的,总是以其不朽的文化价值或者实用价值昭然展现在世人面前,而且会千秋万代地传留下去;不会因为它们的筹建者的是非功过、德与非德,以及当日血泪交迸的创造过程,而招致损毁,消光蚀彩。

苍凉的慨叹

郊外见残菊

赵翼

黄叶江村木尽凋,尚余冷艳耐商飙。
有情都作春花去,谁与秋容缀寂寥!

诗人慨叹:一到深秋,江边村落,万木凋零,黄叶漫空飘飞,只剩下郊外的残菊,以冷艳的姿容,傲对凛冽的秋风。人家那些懂事的、多情的,早都扑奔到风光无限的春花那里去了,只有萧条惨淡的残菊冷落在那里,谁又肯为它来点缀秋容、相伴寂寥呢!"商飙",指秋风。商,为中国古代五音之一,商音配秋,因以商指秋季。

诗人在这里采用的是拟人与比喻的双重手法。所谓拟人,指的是把自然界的植物春花和残菊,都写得像人一样有个性、有抱负、有感知,或者趋时媚俗,背寒向热,或者独抱冰心,自甘寂寞。而这样运笔的目的,恰恰是以花喻人。只要稍稍玩味一下,读者就可以感知到诗中有人。诗人是在为"幽居在空谷","零落依草木","天寒翠袖薄,日暮倚修竹"(杜甫诗)的佳人和"岂不实辛苦,所惧非饥寒。贫富常交战,道胜无戚颜"(陶潜诗)的寒士,发出苍凉的慨叹,申抒愤懑不平之气。"谁与秋容缀寂寥!"语中饱含着血泪与辛酸。

清人袁枚的咏梅:"正月东风柳未芽,一方梅影雪横斜。重他身份缘何事?只为能开冷处花。"近人张宗祥的《题画梅》:"最爱孤山雪后来,野梅几树水边栽。着花不过两三朵,独向人间冷处开。"与赵翼的咏残菊,体现同一取向,同一主旨,各极其妙。

视角的差异

庐山杂诗（八首之四）

赵翼

一重一掩隔红尘，深入方知景色新。
山外何由见真面，东坡谰语究欺人。

杜甫诗中有"一重一掩吾肺腑"之句，这里借用来形容山峦的重重叠叠，稠密繁复，以致连滚滚红尘都为之隔断了，什么也看不清楚。若要摸清它的底细，只有深入到里面去，才能领略其景色之新美。最后，引出两句结论：停留在山的外面，根本没有可能见到真实的面目。看来，苏东坡所说的"不识庐山真面目，只缘身在此山中"，终究是一番欺人的妄语（"谰语"），完全不是那么一回事。

同样是游览庐山，同样是说认识庐山的真面目，一位大诗人说，必须出乎其内，到外面去；另一个大诗人不同意他的说法，说只有深入到里面去，才能看清楚。两人都是身临其境，都是以切身体验为立论基础，可说是凿凿有据，谁也不是"郢书燕说"、道听途说。那么，应该如何判定是非，到底相信哪一个结论呢？

只能说，两位讲得都对。问题的症结所在，是从哪个角度去看，或者说，他们的立足点存在着差异。苏轼是从宏观的角度，采取"全景画"式的视角,去探寻"庐山真面",所以有"横看侧看""远近高低"之说。按照这个要求,自然得站在外面,而且必须是登高俯瞰全景,单是局处山中某一角落观察,是无法实现的。而赵翼所讲的,是了解内部景色,青幽的翠峦,崚嶒的山势,狞怪的巉岩,俯冲的飞瀑,无一不隐蔽在层峦叠嶂之间,你在外面是无从领略的。

这场争议,给予我们的启发是,辩论也好,对话也好,光有同一话题不行,还必须对焦在同一视角上。就像庄子与惠子的"濠梁之争"一样,一个是以审美的视角,说"鲦鱼出游从容";一个是以科学的视角,反问:"子非鱼,焉知鱼之乐?"那样,还能说到一起去吗?

出处进退的考量

庐山杂诗(八首之七)

赵翼

流出山来便不还,何妨小住保清漪。
可怜三峡桥边水,日夜喧嚣要出山。

诗人畅游庐山,来到三峡桥边(这是庐山保存最完好的古老石拱桥,始建于北宋大中祥符七年,因架在三峡涧上而得名),看到山溪冲出涧谷,涌入桥下,喧腾欢跃着流下山去,心有所感,遂题写了这首七绝。

他面对山溪,以怜惜的口吻,深情款叙着:你们这么急匆匆地流下山去,"逝者如斯夫,不舍昼夜";可曾想过,从此便将永远投身十丈红尘,汇入滚滚浊流中去,再也无法回身了;何妨小住片刻,保持短暂的清白呢!

自从《诗经·小雅》"相彼泉水,载清载浊"之句吟出之后,中经"诗圣"杜甫阐扬、演绎,"在山泉水清,出山泉水浊",便成了古代士子或仕或隐、出处选择的一种典型意象,或曰标准表述。后来,诗人们在原有蕴涵基础上,又敷陈、扩展,踵事增华,像白居易的《白云泉》:"天平山上白云泉,云自无心水自闲。何必奔冲山下去,更添波

清及近代 | 241

浪向人间?"清初诗人赵俞的《山溪》:"结庐何日住深山,竹月松风相对闲。但笑溪声忙底事,奔流偏欲到人间。"赵翼的诗,与此有相同的意蕴。诗人们吟咏的是山泉、流水,实质上都是着眼于人事;清浊之辩,何尝不是读书士子出处、进退的考量呢!

  十多年前,笔者到辽东山区游览,发现天华山中有一条溪流,滚滚滔滔,冲出山涧,却意外地折反,继续向另一条涧谷流去。当地民众给它起了个"回头溪"的名字。应景区负责人要求,曾即兴题写一首七绝:"清泉汩汩出岩间,跳荡奔腾去又还。尚未投身浊浪里,已知回首恋青山。"

惨痛人生

观煮茧

赵翼

三起三眠茧始成,沸汤投入寂无声。
可怜力救人间冷,呕尽心肝便就烹。

题曰"观煮茧",就是说,本诗是由观看农村煮茧劳动所引发的意兴。

诗中写到了蚕丝生产中养蚕和煮茧这两段过程。"三起三眠",概括了桑蚕的成长经过。蚕初生至成蛹,蜕皮三四次。蜕皮时不食不动,成睡眠状态。"煮茧",这是农家制丝过程中一道关键性工序,包括浸渍、渗透、蒸煮、调整等。

诗人怀着悲悯的心情,看待与抒写蚕的一生命运。第一句,概述蚕由出生到蜕皮、长大的成长过程。第二句,写蚕的生命的终结——蚕茧投入沸水后,寂无声响,惨痛死亡。三、四两句,抒写了诗人由所见而产生的悲慨与感伤。蚕,这个可爱的小生灵,它吞食桑叶,吐出柔丝,所取者少,所予者大;"呕尽心肝",全是为了创造人间的温暖,抵制严酷的寒冷,可是,最后的下场却是横遭烹煮。这种命运,实在是太惨痛、太冷酷、太不公平了!

说的是蚕,实际上,句句都是在写人。

养蚕原本是一件极为辛苦而又紧张的劳动。古代诗人尽多悲悯蚕妇之作。最有名的是北宋诗人张俞的五绝:"昨日入城市,归来泪满巾。遍身罗绮者,不是养蚕人。"描写了一位整日辛苦劳作,在贫穷的乡下以养蚕卖丝为生的普通妇女,昨天进城里去卖丝,一应见闻使她深受刺激,以致在回来的路上不免痛哭流泪。因为她看到,城里身穿华服美衣的人,都是吃喝玩乐、坐享其成的豪门男女;而像她一样的劳苦农民,即使养一辈子蚕,也没有一个能够穿上绫罗绸缎的。还有唐代诗人蒋贻恭的七绝:"辛勤得茧不盈筐,灯下缫丝恨更长。著处(穿着绸缎的)不知来处苦,但贪衣上绣鸳鸯。"同样也是为辛苦终年却难得温饱的底层劳动者发出不平之鸣。

赵翼的《观煮茧》,却是从一个特殊的视角,别出心裁,独辟蹊径,形象更为鲜明,问题更加尖锐,讥刺更为锋利。

诗人谈老

出遇

赵翼

形容不照镜生尘,只道神衰面未皱。
出遇故人俱老丑,始知我亦丑中人。

我国古代大诗人中,得享高寿、进入耄耋之年的,最著名的有三位,陆游活了八十六岁,袁枚八十三,赵翼八十八,高居魁首。三位诗人又都写了大量谈老的诗。陆游是"老骥伏枥,志在千里",用他自己的话说,属于"老不能闲真自苦"的类型,因而不时地咏叹"壮士凄凉闲处老""骨朽成尘志未休"。而袁枚谈老,却是常常以诙谐出之。比如他写老态:"作字灯前点画粗,登楼渐渐要人扶。残牙好似聊城将,独守空城队已无。"还有一首《夜坐》:"斗鼠窥梁蝙蝠惊,衰年犹是读书声。可怜忘却双眸暗,只说年来烛不明。"都是充满情趣的。而同为"性灵派"主将的赵翼,同样是风趣、诙谐,却找了一个新颖、独特的角度。他不像袁枚那样,直接说自己如何老态龙钟,而是借助一个客体,一个对照物,映衬他的陋貌衰颜。看过以后,不禁为此老点赞:啊,灵思妙绪,真会做文章!

他说,平时没有照镜子的习惯,以致镜面尘封,因而也未觉察到自己如何衰老,只是认为不过是心倦神疲而已,面部不致有多大变化。可是,当他外出遇见一些老朋友,他们一个个都已老丑之极;这时,他才知道,作为其中的一员,年岁、经历均无大的差异,自己也肯定是丑陋难堪了。

古人有"与老无期约,到来如等闲"(刘禹锡),"老似名山到始知"(陈古渔)之诗句。说的是,对于老的觉察、认知,来源于切身体验。最典型的是大词人辛弃疾,大约五十岁时吧,他就曾低吟:"不知筋力衰多少,但觉新来懒上楼"。懒于登楼,确是年岁未必特别大而身体十分衰弱的人最显著的感觉。在这方面,赵翼讲述得也十分细致。不独形体、面貌方面,也包括目力、精力。你看他的这首七绝:"两目虽存力减前,临文敢怨视茫然。自从六岁攻书起,我已劳他七十年。"赵翼谈老,较之袁枚,更有深度,不只是描形拟态,形象、有趣,而且饱含着情感,尽量给出一些供人思索玩味的理蕴。且看他在五十八岁时写的一首《老境》:一开头,就说他少时对柳下惠"坐怀不乱"的修为表示怀疑,认为事实未必存在:"柳下自言耶?真伪未可判;女出告人耶?亦难作定案"。那么后来呢?"今我老境来,始信语非谰。从前好风怀,久作春冰涣。即令伴横陈,味已嚼蜡换"。意思是,年老以后,什么色情、风怀都涣散无余了,即便是与年轻女郎横陈同榻,也已经味同嚼蜡了。

这些体会都是切实而真切的,绝非"为赋新词强说愁"。有些文友发现杜甫、苏轼张口"野老",闭口"老夫"感到奇怪,甚至认为矫情;我倒以为,恐怕都属实情,韩愈就说过:"吾年未四十,而视茫茫,而发苍苍,而齿牙动摇"。大抵旧时文人骚客失意者居多,生计艰难,却又呕心作赋,面壁穷经,"焚膏油以继晷,恒兀兀以穷年",自然心神劳损,未老先衰。这一切,都是不难理解的。

原来樵子是仙人

题《春山仙弈图》(七绝二首)

赵翼

花落空山了不知,为他胜败未分时。
神仙已遣名心断,闲气犹争一局棋。

局中算劫正劳神,早有闲观局外身。
袖手不来轻下子,烂柯人乃是仙人。

这是两首题画诗。所谓"春山仙弈",源于一个古代传说:晋时有一位叫王质的人,这天到石室山去打柴。看到一童一叟正在石上下围棋,于是,把砍柴用的斧子放在旁边地上,驻足观看。看了多时,童子说:"你该回家了。"王质回身去取斧子,却发现斧柄(柯)已经腐烂。王质大感惊异。回到家里,全已面目皆非,谁也不认得他,提起一些事,村中几位老者都说是几百年前的事了。原来他遇到了神仙,入山方半日,人世几百年。(南朝梁·任昉《述异记》)

从两首诗中,大体可知画面上的景物:两位仙人对弈,互争胜负,殚精竭虑,难解难分,以致连"花落空山"都不知道。与此形成鲜明对比的是,旁边站着观棋的那位樵夫,悠然自得地袖手旁观,既不插言"支招",更不伸手"动步"。诗人就此,分别在两首诗的后面,发表议论,做出判断:一是,既然成仙得道了,名心早已了断,怎么还会斗这份闲气,争这一局棋呢?言下之意,算不上真正的仙人;二是,这个樵夫("烂柯人"),袖手旁观,置身局外,观棋不语,倒是可以说:不是仙人,胜似仙人。

　　由于"烂柯"故事早已深入人心,因而许多诗人都把它纳入创作题材,仅我阅读所及,唐宋诗中就达百首以上。其中最多的是借以感叹世事沧桑,浮生若梦,像"怀旧空吟闻笛赋,到乡翻似烂柯人"(刘禹锡),"仙界一日内,人间千载穷。双棋未遍局,万物皆为空"(孟郊);还有从避世角度来做文章的,像"弈罢空怀烂柯客,云深多失避秦人"(潘正夫),等等。而赵翼却能冲出重围,自出机杼,独具只眼,异想天开,掀翻一千余年的定案,偏要怀疑:既是仙人,怎么还会"闲气犹争一局棋"?倒是局前袖手、超然物外的旁观者,意态非凡。目光犀利,见解独到,意蕴深邃,允称骚坛高手。

暗中难防

咏蚊

汪启淑[①]

乍停纨扇便成团,隐隐雷声夜未阑。
漫道纱厨凉似水,明中易避暗中难。

古今咏蚊诗甚多,如果有兴趣,大概编一本《咏蚊诗集》是完全做得到的。由于这种小动物身躯虽小,危害人却直接而又普遍,常常是"终夜不堪其扰",因而许多诗人,援笔成章,大加挞伐。唐人吴融洋洋洒洒地给出二十六韵,中有句云:"不避风与雨,群飞出菰蒲。扰扰蔽天黑,雷然随舳舻。"极写蚊虫出征的阵势。陌花馆主人的《黄莺儿》小曲,细致地描写了蚊虫的"作案"情景:"恨杀咬人精。嘴儿尖,身子轻,生来害的是撩人病。我恰才睡醒,他百般作声。口儿到处胭脂赠。最无情,尝唉滋味,又向别人哼。"而政治家范仲淹和清人单斗南的《咏蚊》诗,则是郑重其事地从利害关系方面进行研判:"饱去樱桃重,饥来柳絮轻。但知求日暮,休更问前程。""性命博膏血,人间汝最愚。噆肤凭利嘴,反掌陨微躯。"

---

① 汪启淑(1728—1799),号秀峰。官至兵部职方司郎中。清代诗人,性情古雅不群,喜考据,酷爱收藏书籍、印章。

面对蚊虫肆虐,大诗人陆游有些无奈,五古中有"不如小忍之,驱逐吾已隘"之句。明人方孝孺则表现得比较洒脱:"喧喧秋后蚊,白日嘬我肌。我虽病无力,扫扑亦易为。怜汝营一饱,未得死及之。且复纵遣去,天运自有时。"他的意思是等待着秋冷风寒来报复它。闲翻古籍,看到南唐一位叫杨銮的人写的打油诗:"白日苍蝇满饭盘,夜间蚊子又成团。每到夜深人静后,定来头上咬杨銮。"笔者见此,胡卢而笑,也随之口占一首《赤壁鏖兵》:"饱餐卧伏聚层层,拍扑乒乓劲有声。血污粉墙成赤壁,深宵斗室大鏖兵。"

汪氏这首七绝,前两句说的是:蚊子太多了,轰响如雷,纨扇频摇,总算稍有收敛;但刚刚停下,便又成团结队地飞了回来。意在为三、四句做出铺垫——只好把蚊帐放在清冷的月光下面,因为明中易避,暗里难防。乍看,写的是蚊虫活动特征,实则隐喻那些宵小之徒,以及对付他们的手段、策略。这样,诗就超出一般的叙事描写,而赋予了理性蕴涵,诗外之意多于诗内之意。与前面赵翼的《一蚊》中所阐明的"宵小由来不在多",可谓异曲同工,都是托物寄怀,借题发挥。从这里,可以悟解哲理诗的突出特点以及写作方法。

殊堪风世

宛转歌

潘瑛①

宛转松上萝,松枯萝色喜。
同体不同心,安望同生死?

诗句明白易解,清通畅达,但其意蕴深刻,发人深省。诗中说,松树上弯弯曲曲地攀附着藤萝,松树已经枯死了,而藤萝却枝叶茂盛,绿意婆娑。对于这种极不协调、生态迥异的现象,人们也许会感到莫名其妙——童蒙读物《名贤集》中那两句诗:"藤萝绕树生,树倒藤萝死",一直被人们奉为生活至理。

那么,"松枯萝色喜"这种奇怪的景象,又是怎么产生的呢?其实,说开了也就不足为怪了。原来,它们虽然貌似同体,却并不同心,各有各的生命脉系,各有各的活法,各有各的追求,那又怎能希望同生共死呢?

在这首咏物诗前面,诗人安了个"宛转歌"的标题。读者不要看轻这"宛转"二字,它可是大有来头哩。就形态说,意为翻来覆去,往

---

① 潘瑛(?—1805),字兰如。诗名甚佳,著有《晋希堂诗集》,编选《国朝诗萃》,主要收录乾隆朝及嘉庆初年诗人作品。

复转动；可是，究其本义，按古籍《尔雅》解释，原本是缠弓的绳子。《庄子·天下》篇中，有"与物宛转"之句，后人注释：宛转，与物变化而不固执也。这样来理解"宛转松上萝，松枯萝色喜"，就一清二楚了。

　　社会现实中，人与人之间的关系，不外乎三个层次，三种状态：一曰同体。"松上萝"即属于这一类，用于人生，可以引申为相互依存、相互利用的"哥们"，利在则合，利尽则分。二曰同根，《名贤集》说的"藤萝绕树生，树倒藤萝死"，可能就是说，藤萝与树同根而生，这样才能松死藤也死。其实，这在有些情况下是靠不住的。日常生活中，同根可以理解为同胞。曹植《七步诗》中，就是说与其兄曹丕"本是同根生"，但不还是悲叹"煮豆燃豆萁，豆在釜中泣"，直至追问"相煎何太急"吗？三曰同心，可以引申为知己，或者志同道合、信念一致的道义之交。真正能够同生死、共患难的是这一类，所以，古人又把这种交情，说成是"刎颈之交"。

　　本诗见于《随园诗话》，袁枚评曰："殊堪风世。"何谓"风世"？即可以劝勉世人，有助于世风建设，有功于世道人心。

不为人开仰面花

七绝

管世铭[①]

耆旧风流属此翁,一时月旦擅江东。
寸心自与康成异,不肯轻身事马融。

此为述志诗。关于此诗的来历,传载:管氏"深于诗而世不尽知","寓江宁日,客有劝其谒袁简斋(袁枚)者,诗以谢之"。晚清进士、学者李岳瑞也曾评说:"随园之执牛耳于东南也,天下之士从者如市,独侍御(指管世铭)不肯附和,尝赋诗见志。"

诗中前两句说,若论当今高名厚望,文采风流,自然当以袁简斋老先生为最,因而其品评人物、推荐诗文,可说是一言九鼎,独擅江东了。"月旦",泛指品评人物,亦作"月旦评"。"江东",为一人文地理名词,在清代又叫江左,指今皖南、苏南、浙江、上海等地。

后两句说,尽管如此,但以我的个性来说,却和东汉大学者郑玄(字康成)有异,我是不肯屈身抑己,去朝拜马融的。史载:郑玄虽已学富五车,但他却毫不自满,通过友人卢植的关系,西入关中,到扶风

[①] 管世铭(1738—1798),乾隆年间进士。文章风节为一时所重。不阿权贵,尤耻于干谒、依傍,标榜声气。

去拜当时全国最著名的经学大师马融为师。其时,马门弟子上千,长年追随者亦有四百余人。郑玄到后,三年未得马融重视,只能听其高足面授。一个偶然机会,精于数学的郑玄得以展现才华,遂引起马融青睐,郑玄便把平时久思未解的疑难问题,一个个提出来求教,终得百尺竿头再进一步。这样,郑玄便也成为精通今古文经学的大师了。

窃以为,管世铭并非不看重学识,也不是孤高自傲,只是不肯追逐时流,趋炎媚俗,严格秉持一己刚毅的人格操守。类似的述志、咏怀诗,他还写过《咏竹》五绝:"此君何所贵?贵不在凌霄。要看经风雪,从来未折腰。"在《咏盆梅》七绝中,亦有"故知铁石心不改,不为人开仰面花"之句。从中都可窥见其风骨之峻挺与志趣之清高。

关于他的拒绝"攀袁",当代学者汪最中做过深刻的剖析,指出:"袁枚把握了诗歌'缘情'的本质,代表了进步的诗学方向。但有时又不够严肃而显得纤佻,下者流于曲诹清浅。尽管诗名日隆,追随者众多,管氏却不肯随俗,也传达了一种不认同的态度。"管氏诗风讲究根柢,偏于学人倾向,远接汉魏,近宗子美、昌黎、东坡,取径较宽。这样看来,他写此诗的目的,一是宣示其不肯趋从跟风的态度;二是隐晦曲折地说明,他们取径不同,所谓"道不同不相为谋"是也。

诅咒黑暗

读史（六十四首选一）

洪亮吉①

鲁阳戈已嫌多事，第一尤憎后羿弓。
正要不分昏与旦，悬他十日照寰中。

诗中开头讲了两个源于《淮南子》的神话传说：一是"挥戈驻日"，传说周武王伐纣时，战斗非常激烈。部下的鲁阳公愈战愈勇，眼看天色已晚，便举起长戈向日挥舞，吼声如雷，"日为之退三舍"。二是"后羿射日"，远古时十日并出，树木庄稼枯死，善射者后羿用弓箭射掉九个，只剩下一个太阳。

诗人说，闲翻古籍，觉得这个鲁阳公挥戈退日，简直是多事，可说是毫无意义；至于那个后羿，弯弓射掉九个太阳，就不仅是无谓而已，尤其是遭人憎恨。须知，正是由于他干了这样一件蠢事，使得人世间黑暗重重，经常是不见天日。人们多么希望，能够有十个太阳，朗照人寰，驱除黑暗，满世界里到处都是光明，根本不分白昼与黑夜，那该多么好啊！

---

① 洪亮吉(1746—1809)，字稚存，晚号更生居士。乾隆年间进士，授编修。嘉庆四年，上书言事，指斥时弊，获罪发配新疆伊犁，次年释还。此后，居家埋头著述。

洪氏为诗,标举"奇趣",主张"另具手眼,自写性情"。其诗素以"奇思独造,远出常情""振奇负异,诗胆一身""有雄直之气"著称。但此诗却并非纯粹出自"振奇负异",更不是作儿童式的幻思狂想,而是由于胸中积满块垒,因而别有寄托,一吐为快。

这里有多方面因素:自乾隆朝末叶开始,清王朝出现明显的衰落气象,朝政腐败,贪贿风行,和珅所聚敛的黄金、白银,加上其他古玩、珍宝,超过了清朝政府十五年财政收入的总和。而普通劳苦大众,却挣扎在饥寒线上。即便是一些文人士子,也经常处身困境。据洪亮吉自述,他"以副贡(副榜贡生,国子监生员之一种)留京,除夕困甚,左右无一人,身衣单布袍,欲求五钱沽酒,不可得,仰屋自惟(想):窘迫如此,不如死,欲自经(尽)"。而最令他心伤气沮的,还是嘉庆四年,他曾进呈成亲王一封书札,里面评议到康熙、雍正帝的执政风格,抨击了和珅的贪腐,被嘉庆帝斥为"语涉不经,狂谬已极",发配到新疆伊犁,仅免一死。从这些坎坷的经历和惨酷的际遇中可以看出,他的"第一尤憎"黑暗制造者,愤抒不平之气,盖有由也。

一往情深

题兰(二首选一)

宋湘[①]

楚山无语楚江长,留得骚人一瓣香。
风雨劝君多拂拭,世间萧艾易披猖。

  作者经行楚地,感慨丛生。先从自然景物写起:楚山寂然森列,楚水浩荡奔流,时间已经流逝得很久很久了。接下来,笔锋一转,导出社会人文蕴涵——此间,伟大爱国诗人屈原的流风遗泽却今古长存,你看那山间溪畔的香兰,不就是诗人当年所珍惜、所爱慕、所滋育的吗?最后,作者满怀深情地说,香兰置身荒野,日夜经受着漫天风雨的侵凌,自不必说;更糟糕的是,身旁还有披猖无忌的萧艾肆意侵凌,我们可要多加爱惜、精心护持呀!诗人真情灼灼,一副尊贤惜士的火热情肠跃然纸上。

  "留得骚人一瓣香","骚人"指屈原;"瓣香"为佛家语,喻崇敬的心意,用在这里,意为屈原对兰花衷心景慕。屈原爱兰、慕兰,《离骚》中尽多"结幽兰而延伫""揽茹蕙以掩涕兮""余既滋兰之九畹

[①] 宋湘(1756—1826),字焕襄,号芷湾。嘉庆年间进士。为人襟怀豪迈,才气倜傥。

兮"之句。"萧艾易披猖",说的是小人得势便张狂。萧艾,艾蒿一类植物,典出《离骚》。它是与香兰相对应的。

  在这首咏物诗中,诗人运用了高明的表现手法:本来,诗的主旨是借助题兰来抒怀寄志,表达爱惜、护持人才之情,那就不妨随便找个郊野所在,甚至完全可以直接拈出兰花,劈空设论,不必具体交代地点;但是,宋湘却是借助典型地域、典型人物来说事。如同一说赏梅,人们会立刻想到孤山的林和靖;一说采菊,脑子里便会涌现出东篱下的陶渊明。由于和屈原联系起来,这样就加重了兰花的分量与迥异寻常的人文价值。了解宋湘的人都知道,他"于古人每喜自比屈宋",甚至连姓名都和屈原、宋玉挂上了钩。所以,一写到楚山楚水,就把爱惜兰花与"瓣香骚人"紧紧地联结在一起,原是顺理成章的事。

  再者,作为咏物诗,它的情感生成与抒写方式,以物喻人本为常用形式,但宋湘却做到了三重设喻:一是以香兰、萧艾分喻贤士、小人;二是用易遭风雨特别是披猖无忌的萧艾侵凌的香兰,隐喻贤才的遭遇;三是请出两千年前的"骚人"屈原来为香兰护法,发抒其爱惜文士、护持贤才的强烈感情,深得风人之旨。

夤缘云路上　总有下山时

游山诗

钱泳[①]

踏遍高山复大林，不知回首夕阳沉。
下山即是来时路，枉费夤缘一片心。

题曰"游山"，实际上讲的是人生。诗中提出了一个关于出处进退的发人深省、颇富哲思的课题。

前两句叙事，说游山的人不知疲倦地攀登高山，深入长林，一味地奔驰向前，忘记了时间，也顾不上坐下来喘口气。偶然一回头，才觉察到原来已经是斜晖脉脉、红日西沉了。言外之意是，不管你爬得多高、走出多远，也需要踏上归程、重回原路了。

后两句转为议论，接着上面的话头，既然"下山即是来时路"，那就是说：怎么上来的，还得怎么下去——来时是一步步地爬上去，现在还要一步步地走下来。"枉费"云云，暗含着"早知如此，何必当初"之意。这里的关键词是"夤缘"二字。"夤缘"也者，攀附权贵，拼

[①] 钱泳（1759—1844），号梅溪居士。一生未事科举、未曾入仕，足迹遍及大江南北。历乾隆、嘉庆、道光三朝，为著名学者，工诗词、擅书画，所作《履园丛话》，以内容丰富、资料翔实、文笔流畅著称。

命向上巴结之谓也。

诗人以游人登山时需要攀藤附葛、拼力爬高的实情,借喻世人为了升官发财,钻营奔竞,厚颜无耻地奔走权门,攀龙附凤,极尽勾结、攀附之能事。结局是,或因势家倾败,"鸡飞蛋打";或因本人被罪,倾家荡产;或因衰亡殄瘁,万有皆空,反正就是"下山"了。到头来,"枉费夤缘一片心"!

诗人在《履园丛话》中有一段话:"每见官宦中有一种夤缘钻刺之辈,至老不衰,一旦下台,恍然若梦,门有追呼之迫,家无担石之储,在此人固自甘心,而其妻子者将何以为情耶?余尝有《游山诗》云(从略),盖为此等人说法耳。"

袁枚《随园诗话》记录有儿童诗:"二童子放风筝,一童得风,大喜;一童调之曰:'劝君莫讶东风好,吹上还能吹下来。'我深喜之。""吹上还能吹下来"与"下山即是来时路",义理相近,而其妙处皆在蕴涵着哲思理趣。

造化欺人

南唐杂咏

郭麐[①]

我思昧昧最神伤,予季归来更断肠。
作个才人真绝代,可怜薄命作君王。

南唐,"五代十国"之一,定都金陵,历时三十九年,经历烈祖李昪、中主李璟和后主李煜三代君王。诗人咏叹南唐旧事,重点说的是后主李煜。在中国历史上,李后主作为不幸的君主与有幸的才人,兼具亡国之君、失败的政治家与绝代词人、才华盖世的文艺家的多重身份。

诗人说,我读南唐史籍,深潜而静思("昧昧而思之",语出《书经·秦誓》),最感神伤气沮;待到实地踏勘金陵故迹,行旅归来(《诗经·魏风》:"予季行役,夙夜无寐"),就更是肠断心酸了——那位堪痛又堪怜的李煜,确实是一位绝代的文学天才,可惜他时乖命薄,竟然做了一个末代的待罪君王。大约与郭麐同时代的赵秋舲,在《金陵杂咏》中,亦有"南朝才子都无福,不作词臣作帝王"的慨叹,也是

---

① 郭麐(1767—1831),号频伽。有"神童"之誉。嘉庆年间贡生。工词章,以轻俊胜,好饮酒,醉后画竹石是其一绝。

为李后主等亡国之君（还有陈朝的后主陈叔宝），投错了门，走错了路，抒发惋惜之情。

从人尽其才、才尽其用的角度来说，这些诗讲的都属于真理性认识。确实是造化欺人，历史老仙翁把他们放错了位置。笔者曾在一篇文章中说，如果安排李煜为金陵诗词学会会长、赵构为汴京书画院院长，确实是适才适所，最恰当不过了。但是，事情还有另外一面的道理：不妨设想，如果李煜未曾经历天崩地坼般的人生巨变，缺乏后半生的生命体验，那么，他后期的词作还能涌流出那痛入骨髓的家愁国恨的悲哀，还能实现这种独有的、真实的情感宣泄吗？著名学者唐圭璋在《李后主评传》中做过剖析：李煜"身为国王，富贵繁华到了极点，而身经亡国，繁华消歇，不堪回首，悲哀也到了极点。正因为他一人经过这种极端的悲乐，遂使他在文学上的收成也格外光荣而伟大。在欢乐的词里，我们看见一朵朵美丽之花；在悲哀的词里，我们看见一缕缕的血痕泪痕"。

社会新变的期待

新雷

张维屏[①]

造物无言却有情,每于寒尽觉春生。
千红万紫安排着,只待春雷第一声。

诗中含有丰富的哲思理蕴,其中包括对于大自然的深情赞颂和阳春将到的喜悦之情;也透露着对于春天的呼唤和对新雷的期待,体现出朦胧的社会新变、除旧迎新的时代要求。

当年孔老夫子说过:"天何言哉?四时行焉,百物生焉。"诗人也在这里说,天(所谓"造物",也就是大自然),寂静无言,却有知觉,有情感,每当寒气将尽,就会顿觉春意萌生。这使人联想到宋代学者张栻的那首《立春偶成》七绝:"律回岁晚冰霜少,春到人间草木知。便觉眼前生意满,东风吹水绿参差。"在这里,诗人将自己的心情同自然界的变化融合起来,深情无限地呼唤着:全新的春天快快地降临人间吧!群芳百卉、千红万紫都已经准备就绪了,只等待着春雷一响,就会竞相开放。

[①] 张维屏(1780—1859),道光年间进士,后退隐乡居。鸦片战争开始后,在爱国热情驱使下,写出一些反对卖国投降、歌颂反侵略斗争的著名诗篇。

诗人热情饱满,笔致流畅,清丽可喜;而且,匠心独运,寓理于情,体现了灼热的生命气息、浓烈的革新愿望与深刻的哲学、美学思想的有机结合。

恩格斯指出,和在社会历史领域内进行活动的全是具有意识的、追求某种目的的不同,在自然界,没有任何事情是作为预期的自觉的目的发生的。可是,在这里诗人却说"造物有情",似乎既有感知,又有意愿。原来,他是运用了美学上的移情手法,赋予大自然以人的生命、情感、个性。这里的移情,是指主观情感移置于客观物象,使客观物象人格化;或者说,把自然物象作为心灵世界象征的对象,使人的情感与外物相契合。移情,一般都是通过拟人、借代、象征和寄情于物、身与物化等手法来实现。其作用是使诗中的客观景物充溢着感性生命形态的律动,使得诗人眼前景物与心中意向融为一体,从而增强诗歌的魅力与感染力。

这种客观事物的人格化与主体情感的客体化的统一,为诗人运用比喻、联想、想象等手法,创造了有利条件。在诗人的笔下,不仅所呼唤的社会,是体现着诗人情感、意向的新的形态的社会;而且,连带着自然界,也是脱离了那种原生态的与人类毫不相关的天然形态,同样具有人的情感、人的意愿,成为经过有意识的改造、加工的人化自然。"人化自然"一词,是马克思论述人与自然的关系时所使用的术语,指的是人类活动改变了的自然界。在人类社会的发展进程中,随着人的本质力量以体力和智力形式对象化于其中,自然界也在越来越广泛的意义上,实现自然的人化,成为人化自然,形成人工生态系统,形成依人的意愿而变革的自然环境。

献身不惜作尘泥

己亥杂诗(三一五首之五)

龚自珍①

浩荡离愁白日斜,吟鞭东指即天涯。
落红不是无情物,化作春泥更护花。

龚自珍力主变法革新,并无情地抨击时弊,因而不断遭受官僚大地主顽固派的压制与打击,居京二十载,一直浮沉下僚,终于道光十九年,毅然辞官南归。于农历四月匆促离京,九月中旬又返回迎接眷属,往返途中,将所思所感以诗纪之,杂述见闻、感想,共三百十五首。因是年为己亥,遂名《己亥杂诗》。诗篇语言瑰丽,意境新奇,理趣浓冽,颇获诗坛的赞誉。

此诗为第五首,是了解作者晚年(两年后即因暴病辞世)心境、思想、抱负的重要之作。前两句是叙事,说他在白日西斜的时候,满怀着浩淼无边的离愁,策马直奔外城东面的广渠门而去,挥鞭东指,竟有身在天涯的感觉,这正应了那句"一出都门,便成万里"的老话。后两句是抒情,说自己虽已辞官,但仍然愿意为国家、为社会尽一份

---

① 龚自珍(1792—1841),号定庵。晚清著名学者、诗人和思想家。道光年间进士,授内阁中书、礼部主事。

余年心力。有如枝头飘坠的落花一样,它并非无情之物,化作春泥,还是可以起到培护新花的作用的。

诗中有两个关键词,反映了作者的心路历程:一曰"离愁"。作者此番离京,表面上看,是主动要求离职,似乎导因于不满死气沉沉的礼部衙署生活;但是,根子还在于朝中倾轧挤压、勾心斗角。"才高动触时忌",被守旧官僚视为异类,断绝其进身之阶;特别是面对英人鸦片入侵,他曾越位言事,竭力主战,"忤其长官,赋归去来"。从他此次离京的匆促来看,幕后显然隐伏着更深的险恶背景。在这种情况下,"于我心有戚戚焉",是完全正常的。况且,龚氏十一岁即随父进京,后来又做了京官,虽不得志,但立朝执政、推进变革的鸿图远志,始终在胸中蒸腾着。一朝离去,这些势必全部落空,自然会离愁浩荡,辗转留连。

二曰"落红"。作者离京正值春末夏初,北方也正处在飞花万点,绿暗红稀之际。面对此情此景,一时浮想联翩,仿佛觉得自己正同片片飞花融合到一起,怀抱着庄严的使命感——为了培育未来的春花,"自有诗心如火烈,献身不惜作尘泥"(作家杨朔诗句)。此刻,那些萦绕于心中的浩荡离愁、失意情怀,已经转化为带有积极意蕴的"落花心绪",化作牵挂国家、关心社会、开创未来的满腔热情。

观 势

己亥杂诗(三一五首之十九)

龚自珍

卿筹烂熟我筹之,我有忠言质幻师。
观理自难观势易,弹丸累到十枚时。

从原诗的小注中得知,诗人南归途中,在道旁见到一位"鬻戏术者"——弄弹丸、变戏法的人,于是,同他进行了商讨。"幻师",典出《波罗蜜经》:"如彼幻师,得化美团,虽似有益,而实无益。""质",含询问、商讨之义。

诗中通过与魔幻师对话的形式,讨论了累叠弹丸的情势。诗人说,对于摆弄弹丸的技艺,你("卿")已经筹划得烂熟了。那么,现在我也来运筹一下。有一句忠言,想说给你听听:有些事情,光凭道理去看,很难把握;但若观察它的态势、情势、发展趋向,就比较容易了。眼前的情势,是你的弹丸已经累到了十枚,恐怕是很难维持下去的。

解读这首诗,首先需要弄清楚"观势易"的"势"字,此为全诗之眼,也是诗人立论之根。先秦诸子对于"势"多有论列,《孟子》中引述齐人的话,说"虽有智慧,不如乘势";《商君书》有言:"势治者不可乱,势乱者不可治""飞蓬飘风而行千里,乘风之势也""托其势者,虽远必至",都是十分强调"势"的作用。所谓"势",通常用以表示事物的演变趋向,亦即我们常说的发展趋势,如说"势所必至"。

那么,诗人在这首诗中,究竟是想说什么呢?同变戏法的魔幻师讨论累丸之术,即便是实有其事,也显然是借此托词,发抒真实的己见。实际上,他是借魔幻师"弹丸累到十枚时",来隐喻清王朝眼前面临的危如累卵的险境。早在二十年前,当大多数人还在沉湎于所谓"乾嘉盛世"余梦之际,他就敏感地看到衰颓之势,在《尊隐》篇中,即有"日之将夕,悲风骤至,人思灯烛,惨惨目光"之句。他在游览京南陶然亭时,又曾题写一首七绝:"台阁参差未上灯,菰芦深处有人行。凭君且莫登高望,忽忽中原暮霭生。"而当他写作《己亥杂诗》时,正处在鸦片战争的前夜,随着清朝统治的日趋腐败和对人民剥削压迫的加重,国内阶级矛盾更是日见激化,人民群众的反抗斗争此起彼伏;西方列强虎视眈眈,伺机入侵,清王朝的统治面临着深重的危机。作为启蒙思想家和社会的犀利批判者,龚自珍更是做出尖锐的理性判断。而慑于文祸,他只能通过这种曲折、婉转的形式,"我有忠言质幻师"了——这个"幻师",就包括那些策划"皇帝的新衣"的谄谀之徒和昏聩无能的当权者。

《己亥杂诗》一出,即获"声情沉烈,恻悱遒上,如万玉哀鸣"之誉。梁启超更明确指出:"举国方沉酣太平,而彼辈(指龚自珍、魏源)若不胜其忧危,恒相与指天画地,规天下大计"。看得出中国优秀传统知识分子的忧患意识与担当精神。

示 警

己亥杂诗（三一五首之一〇六）

龚自珍

西来白浪打旌旗，万舳安危总未知。
寄语瞿塘滩上贾，收帆好趁顺风时。

诗人说，长江滚滚西来，涌起滔天的雪浪，船上的旗子都被打湿了，往来的无数船只，正处在安危未卜、存亡莫测的险恶环境之中。在这里，我想寄语来往长江上下游经营生意的商人，船过险滩密布的瞿塘峡时，最好趁着顺风就加紧收帆！

"寄语"云云，显然是虚拟之词。诗人"兴发于此而义归于彼"，他要说的意蕴，要比行船避险丰富得多，深刻得多。其一，船过急流险滩之时，如恰值一帆风顺，由于船速提高了，往往危险性更大；其二，事物矛盾在不断转化，顺境会转化为逆境，所以，应该抓住有利时机，从速处置，尽早收帆减速。乾隆朝诗人陆飞有诗云："轻舟齐趁大江风，浪卷涛飞欲拍空。莫倚好风帆力健，最难收是急流中。"与此有相同意蕴。联系人生，人处顺境之中与得意之时，应该倍加小心，不要忘乎所以。

而就作者这个特定对象来说，还应加上一层特殊的理解。龚氏立朝多年,"与同志(魏源、林则徐等)论天下事,风发泉涌,有不可一世之意"(友人姚莹语);特别是目光锐敏,嫉恶如仇,针砭朝政,抨击时弊,愤切慷慨,遭人忌恨,宦途风险颇大。以他的清醒头脑,对此自然了如指掌。但一些关心他、支持他的友人,对于他在盛年(四十八岁)即毅然去职,却未必都能理解。"收帆好趁顺风时"云云,很有可能是有针对性地做出答复。也有学者推测,也许朝中有人因仕途顺利,洋洋自得,乐而忘忧,诗人遂以风高浪恶、险象环生的长江三峡,喻指危机四伏、险恶无比的晚清官场,以瞿塘贾隐喻置身于政治斗争旋涡中的从仕官员,作此以示警诫。

渴求变革　呼唤人才

己亥杂诗（三一五首之一二五）

龚自珍

九州生气恃风雷，万马齐喑究可哀。
我劝天公重抖擞，不拘一格降人才。

诗人说，整个中华大地上，当前急需焕发一种磅礴的生气；而这种生气的勃发，不会自动运行，有赖于风雷激荡、云水翻腾予以鼓动。可悲的是，现在遍地都是万马齐喑，无声无息，死气沉沉。为此，我劝天公要重新振作起精神，打破各种资格的拘限，让各种各样的优秀人才，在社会上源源不断地涌现出来。

龚自珍呼唤革新政治、针砭时弊，谈论得最多的是关于人才问题。首先，他特别强调人才在治国理政中的决定性作用，说："世有三等（治世、乱世、衰世）。三等之世，皆观其才。"又说："一代之治，必有一代人材任之。"作为衰世，当时的症结所在，他认为，关键在于人才的匮乏："沉沉心事北南东，一睨人才海内空。"（龚诗《夜坐》，下同）而人才之所以匮乏，源于上层统治者对人才成长的限制，病态社会对人才的摧残、扼杀，使其无法健康、自由地发展。万马之喑哑无声，并非出自马的本性，而是惨遭摧折的结果。为此，他大声疾呼，要敲开各种枷锁,打破一切拘限,不拘一格使用人才。"万一禅关寣然破,美人如玉剑如虹。"意思是:当束缚、限制人的才智的关卡打破以后,人就可以成为晶莹如玉的美人,剑也能够吐出长虹一般的奇气。"禅关",借用佛家语,形容关卡;"寣然",引自《庄子》,状写解牛时奏刀顺利、痛快。而这一切,都须最高统治者痛下决断,率先变革,所以,他在诗中特意提出:"我劝天公重抖擞"。"天公"一词,语意双关,隐指人间至尊——皇帝,要带头起用鼓动风雷、变革现实的人才。

当代学者朱则杰指出,本诗由于是应道士之请而作的"青词",所以它在写法上,用"风雷"、"天公"来照应原注所说的"赛玉皇及风神、雷神";但和其他"以万数"的"祷词"不同,他向"天公"祈祷的不是风调雨顺,生儿育女,而是呼唤"风雷",普"降人才"。不言而喻,在龚自珍这里,"天公"即清朝最高统治者皇帝,"风雷"则象征巨大的政治变革,"降人才"也就是提拔人才之意。就艺术形式来讲,诗歌表面指谓天上,实际落实人间,明言暗喻,双线合一,充满着寓言的色彩。从思想内容来说,则是因时施教,借题发挥,进而提出了改革的主张,可说是一篇政治性的宣言。

智者以盈满为戒

己亥杂诗(三一五首之二七二)

龚自珍

未济终焉心飘渺,百事翻从阙陷好。
吟到夕阳山外山,古今难免余情绕。

诗人南归途中,在江苏的清江浦,同著名妓女灵箫相识,相互产生了恋情。但当时"遇而不合",谈判破裂。本诗中的"未济""阙陷""心飘渺""山外山""余情绕"云云,均暗喻其事。只是由于诗句隐晦,意蕴超拔,倒成了一首典型的哲理诗。读者完全可以脱开本事,作形而上的解读。

"未济"为《周易》的最后一卦。"济"者,渡也,"未济"就是大河还未渡过。"既济"表示完成、终止,大功告成,完美无缺;"未济"表示未完成、未终止,存在着缺陷与不足。从《周易》卦象上看,火在水上,火水不济,阳错阴差。但,"未济"是终而不止,是事物发展的必然形态,有待于完成的过渡阶段,也可以说,是未完成的新的开始。用《易》学先师的话说,是"济犹未济",也可以理解为待机而济。《易传·序卦》有言:"物不可穷也,故受之以未济终焉。"诗的首句:"未济终焉",本此。正是由于未能达成协议,实现遇合,所以,诗人一时

"于心有戚戚焉",说是觉得空虚飘渺。

　　但诗人的头脑是清醒的。从理智上懂得,作为一种"阙(缺)陷","未济"本身不但不是坏事,而且,"百事翻从阙陷好"。这个"翻"字用得十分恰当。"翻从",意为反转来看,这里体现了辩证思维。凡事难以完美无缺,缺陷原本客观存在。就个人说,只能做到事事尽力,不能设想完美无缺;而对别人,尤其不能求全责备。况且,盈满则亏,所以,智者常以盈满为戒。晚清名臣曾国藩就特意给自己的书房取名"求阙斋"。就在龚自珍写作这首诗的五年后,曾国藩在《与诸弟书》中写道:"兄尝观《易》之道,察盈虚消息之理,而知人不可无缺陷也,日中则昃,月盈则亏,天有孤虚,地阙东南,未有常全而不阙者。"又说:"君子但知有悔耳。悔者,所以守其缺,而不敢求全也,小人则时时求全,全者既得,而吝与凶随之矣。"

　　"夕阳山外山",原为宋人戴复古诗句,这里引用它,并与"难免余情绕"合用,表明诗人仍然满怀恋恋之情,但已经遥不可及,只能付诸余生梦想了。

富贵暂如花

立春后一日长椿寺牡丹盛开

祁寯藻[①]

纵无风雨晓犹残,尚有芦棚护曲栏。
培植一年开十日,人间富贵作花看。

那次参观洛阳新安千唐志斋,我曾看到一副类似佛禅偈语、蕴含哲思的对联:"谁非过客?花是主人。"上联意蕴深邃,但很容易解读,人人都点头认可;可是,下联却有些费解,花怎么会成为主人?明人冯琦有句云:"春来谁作韶华主?总领群芳是牡丹。"就花开富贵、艳冠群芳来说,牡丹确是花中之王,说是主人亦无不可。洛阳号称牡丹之都,而联语恰好出自洛阳,说不定撰此联语者就是有鉴于此。此是闲话。现在还是来解读祁氏这首诗。

诗人说的"长椿寺",在北京西城区,为明万历年间孝定皇太后所创建。立春过后,诗人来到这里,观赏盛开的牡丹。他颇有感慨地说,为了莳弄这花中之王,花工们辛苦经年,用尽心血;单是为使它能在春节前后开花,不致遭人摧折和被寒风烈雪冻伤,就绞尽脑汁,精

[①] 祁寯藻(1793—1866),嘉庆年间进士,咸丰、同治间,先后任体仁阁大学士和礼部尚书。诗人、书法家,著述甚丰。

心地护以曲栏,盖了芦棚,着实是煞费苦心。可是,培植了一年,仅仅开了十天,受自身条件限制,即便没有外力影响,牡丹也会自然地萎败凋零。结果,什么国色天香,姚黄魏紫,都在人们惊鸿一瞥中,消逝净尽,令人扼腕叹息。不过,细细思量起来,何止是花,人间的富贵荣华,又有哪一样不是如此呢!

"人间富贵作花看",为全诗之纲领。其间可作三层理解:一是,"好花不常开,好景不常在"。清代诗人查慎行有一首五绝:"无数绯桃蕊,齐开仲月初。人情方最赏,花意已无余。"说的正是这种令人沮丧的事。其实,事物有盛就有衰,如同鲜花有开就有谢一样,这本是人间至理、生活常态,也是不以人的意志为转移的自然法则;二是,"培植一年开十日",不独牡丹为然,一切创造成果都是得之难而失之易。"世间美物不坚牢,彩云易散琉璃碎。"三是,正是基于上述两点,所以,世人才倍加珍惜美景华年,"盛时常作衰时想""常将有日思无日",谨记"福不可享尽,势不可使尽",知止知足,不到顶点的道理。对于花,古代诗人也有"分付凉风勤约束,不宜开到十分时"(蒋士铨),"烂漫却愁零落尽,丁宁且莫十分开"(陆游),"繁枝容易纷纷落,嫩蕊商量细细开"(杜甫)的名章隽句。

金钱的魔力

观人所藏古钱

乌尔恭额①

钱法从来为便民,殊形诡制代相珍。
谁知用到通神处,累及苍生不止贫。

开头两句,从铸造货币的初衷谈起,说铸钱之道,在于便民、利民,意思是铸钱原本是着眼于实用的;可是,逐渐地就偏离这个宗旨了,各种货币中的奇形怪状者,总会被人什袭珍藏起来,世世代代,居为奇货。三、四句由此生发开去,说,谁能想到,金钱的魔力已经达到可以"通神"的程度——"有钱能使鬼推磨",金钱可以支配一切,这样,祸及百姓的就不仅仅是使很多人陷于贫困了。

本诗为咏物诗,其显著特点是即物咏怀,借题发挥。作为商品交换发展到一定阶段的产物,货币最基本的职能,是价值尺度和流通手段。但在社会发展过程中,随着金钱势力的无限扩大,将会产生冲击整个社会的"货币拜物教",我们通常称之为"拜金主义"。早在西晋时期,文学家鲁褒就在《钱神论》一文中,揭露了金钱"无德而尊,无

---

① 乌尔恭额(?—1842),爱新觉罗氏,号石琴道人,满洲镶黄旗人。工诗善书。历任军机章京、知府、按察使等职。

势而热",其威力无远弗届的社会现象。他说:"吾以死生无命,富贵在钱。何以明之?钱能转祸为福,因败为成,危者得安,死者得生。性命长短,相禄贵贱,皆在乎钱。"无独有偶。莎士比亚在诗剧《雅典的泰门》中,借泰门之口说:金子"这东西,只这一点点儿,就可以使黑的变成白的,丑的变成美的,错的变成对的,卑微变成高贵,老人变成少年,懦夫变成勇士""它可以使受诅咒的人得福,使害着灰白色癞病的人为众人所敬爱,它可以使窃贼得到高爵显位,和元老们分庭抗礼,它可以使鸡皮黄脸的寡妇重做新娘"。说的都是金钱的魔力。

　　乌尔恭额这个人,官声很差,鸦片战争中,因束手无策,坐困危城,遭清廷革职;但他能够敏感地指出"钱可通神""累及苍生"这个尖锐的社会问题,以期引起人们警戒,还是可取的。我们认为,金钱作为物质财富,是人类创造的,并为人类服务,人类应当是金钱的主人,而不能做金钱的奴隶。人们依靠自己的劳动,创造财富,获取金钱,是光荣的,应予提倡;而那种用剥削、掠夺、欺诈的手段,不劳而获,则是可耻的。

花 魂 梦

赣江舟中棹歌（七首选一）

魏源①

峡锁群山十万魂，山花四月未缤繙。
前林晓忽花全放，多为溪雷一夜奔。

  本诗是以江西赣江上船工划船时所唱船歌的形式出现的，从诗中"峡锁群山""前林晓忽"字样，确实看得出船是在浩荡前行之中。
  前两句说，在群山环抱的峡谷里，因为春风吹不进来，虽然已是四月天气，花魂却仍然酣眠未醒，因而看不到山花怒放、彩影缤纷（"缤繙"）的景象。后两句说，忽然在一个早晨，人们不经意间，前边林地里的群花，竟然一下子全部开放了。叩其原因，多半是由于一场春雨过后，溪流猛涨，奔腾而下，声若鸣雷，把峡谷间的十万花魂全部震醒了。
  诗中写的是深山奇景，却蕴涵着丰富的哲思理趣。儒家讲究"格物致知"（研究事物原理而获得知识），诗人则是从自然、社会现象中寻觅审美意蕴，发掘诗性蕴涵。这首诗就是从花魂的沉睡与觉

---

① 魏源（1794—1857），晚清著名思想家、文学家。道光年间进士，官高邮知州，晚年弃官归隐。

醒中，揭示事物发展变化——渐变与突变——的规律，展现一种诗性光辉。

不妨说，这也是一场寄怀深远、动人心魄的"花魂梦"。在诗人看来，中华大地上，几亿炎黄子孙"睡狮"一般，实在是沉睡得太久了。其情其景，不就是"峡锁群山十万魂，山花四月未缤缛"吗？诗人期盼着、设想着那"睡狮"醒来、万花齐放的一刻，最后结想成梦，梦想成真，这一天终于来到了："前林晓忽花全放，多为溪雷一夜奔。"

作者为近代中国"睁眼看世界"的首批知识分子的优秀代表。清史本传中评论："（魏）源兀傲有大略，熟于朝章国故。论古今成败利病、学术流别，驰骋往复，四座皆屈。"

闻鸡遐想

晓窗

魏源

少闻鸡声眠,老听鸡声起。
千古万代人,消磨数声里。

　　作者从晓窗外的数声鸡啼,联想到整个历史长河中,人人都在鸡声中流逝而去。年轻人精力充沛,往往直到鸡鸣时才肯入睡;而老年人,年迈力衰,早早便躺下,又兼睡眠减少,鸡刚一叫唤就起来了。可见,千秋万代的人,都把宝贵的一生,消磨在这数声鸡鸣之中。当然,其间也有巨大的区别,有的闻鸡起舞,激扬奋发,从而立下不世之功;有的蹉跎岁月,壮志消沉,结果落拓终生,一事无成。
　　诗虽短小,容量却很大,为读者提供了巨大的思索空间。
　　比如,我就想到:早在两千多年前,鸡声就和远古先民的早起紧相联结。在《诗经》的《女曰鸡鸣》和《鸡鸣》两首诗中,诗人通过两对夫妻围绕着鸡叫起床的对话,形象生动、个性鲜明地展示了古代家庭生活与夫妻情感,十分动人,饶有情趣。与居家相对应的,身在旅途的游子,则奉行着"未晚先投宿,鸡鸣早看天"的古训,以规避风险,保证安全。而对于胸怀壮志、奋发有为的年轻人,自古就有"闻鸡起舞"的动人佳话。《晋书》记载,范阳人祖逖,年轻时即胸怀大志,曾与刘琨一起担任司州的主簿。这天与刘琨同寝,夜半时听到鸡鸣喈喈,他便踢醒了刘琨,说:"这可不是令人厌恶的声音。"意为快快起来干事。于是,他们便起床舞剑。

  诚然,鸡鸣"不是恶声",但是,在古代,对于夜度边关的铁甲将军和五更待漏的冠冕朝臣来说,鸡鸣却也意味着辛勤、劳苦。金代诗人元好问就有一首《过榆社硖口村早发》的七绝:"瘦马长途懒着鞭,客怀牢落五更天。几时不属鸡声管,睡彻东窗日影偏。"还有的借以咏叹宦游生活的无比艰辛,清代诗人王九龄《题旅店》:"晓觉茅檐片月低,依稀乡国梦中迷。世间何物催人老?半是鸡声半马蹄。"自问:世界上什么东西催促年光,使人一天天变老呢?自答:看来,一半是不断地催人早起的鸡声,一半是陪伴着四处奔波的马蹄声了!情理交融,感喟无限,紧贴现实生活,令人感同身受。

身闲趣自深

近月楼即事

刘湛之①

湖海元龙意气豪,萧萧白发不堪搔。
凭栏忽觉松篁短,始识闲身占地高。

诗中写了作者登临北京东城大街近月楼凭栏俯眺时的感怀。

前两句,抒发感慨。说尽管自己当年的豪气犹存,但毕竟已经年华老大,白发萧疏了。"湖海元龙":东汉陈登字元龙,有扶世救民之志。许汜与刘备共论天下人物,说:"陈元龙湖海之士,豪气不除。"意谓胸怀远大,气概不凡。

后两句,从楼上的观感引申出生活哲理:凭栏一望,顿觉松、竹都变得矮小了,这才知道,原来是"闲身占地高"。因为身闲才能心静,心静才能看得比较客观一些,冲破当事者的种种局限,从较高视角对客观世界静观默察。这使人想起南宋词人章良能的《小重山》词,它的下半阕是:"往事莫沉吟。身闲时序好,且登临,旧游无处不堪寻。无寻处,惟有少年心。"

---

① 刘湛之,道光年间诗人,生平、里籍待考。

这一诗一词,作者都写到了身闲来到旧游之地,都涉及此时的心境——一个是非复昔日的"湖海元龙"雄豪意气,一个是"少年心"已无寻处。不同的是,章词至此戛然而止,留给人一种苍凉、萧索的意境;而刘诗却另辟新界,通过前后两次登临的不同感受,提出一个"闲身占地高"这一带有哲理性的认识。

古人有"身闲趣自深"和"性定会心自远,心闲乐事偏多"的说法。《文心雕龙》中也讲:"四序纷回,而入兴贵闲"。至于诗人,论及此意的就更多了:"何处台无月,谁家池不春?莫言无胜地,自是少闲人。"(白居易)"江山风月无常主,但是闲人即主人。"(汪琬)

有闲身,还要有闲心。身闲可以摆脱世俗杂务的羁绊,为心性安然创造基础性的条件,而心闲则是实现任情适性、自在自如的生命形态的保证。身闲,是暂时的安宁;心闲,乃一生的幸福。二者结合,有助于情感、兴会的触发,有助于心灵对世间物色的感悟与发现。

穷乃工诗

书樾峰诗稿后

郑珍①

乾坤清气一枝笔,不落人间得意场。
官退却惊诗力进,晚凉携卷语山光。

这是题写在曾任贵州知府的平翰(字樾峰)诗稿后面的七绝。

前两句以议论开篇,说充溢着天地间清新、潇洒之气的笔墨,往往出自不得志的人之手,一般不会产生于志得意满的场合。第三句,沿着上面的思路展开来讲,说平翰的官位退而诗力进。最后总束一笔:晚凉时节,手携诗卷,对着山光野色,说了上面这番话。

这里提出两个可供思考的问题,一是"乾坤清气"与"得意场"无缘,亦即"诗穷而后工";二是"官退"而"诗力进"。这是全诗立论的两根柱石。

关于前者,最早可以追溯到孔子的"诗可以怨"以及司马迁的"发愤著书"之说,到了韩愈、欧阳修的笔下,论述得更为详尽了:"夫和平之音淡薄,而愁思之声要妙,欢愉之辞难工,而穷苦之言易好也。

---

① 郑珍(1806—1864),道光年间举人。精训诂学与经学考据,为清代宋诗派的重要诗人。

是故文章之作,恒发于羁旅草野;至若王公贵人,气满志得,非性能而好之,则不暇以为";"诗人少达而多穷","穷者而后工"。

钱锺书先生有言:"苦痛比快乐更能产生诗歌,好诗主要是不愉快、烦恼或'穷愁'的表现和发泄。这个意见在中国古代不但是诗文理论里的常谈,而且成为写作实践里的套板。"童庆炳教授则从创作心理的角度进行分析,他把人的体验分为两种:一种是丰富性的体验,这主要指的是事业的顺利、爱情的美满、家庭的幸福所引起的愉快、满足的情感体验;一种是缺失性的体验,即由于事业的失败、爱的失落、生活的不幸以及潜能的无法实现等所引起的痛苦、焦虑的情感体验。他认为,缺失性体验乃是诗人独特的一种生存和生活方式,并映现出真正的人的生存和生活方式。诗人之"穷",在一定意义上,正是诗人之"富",正是在穷中,诗人蓄积了最为深刻、饱满、独特的情感,正是这种带着眼泪的情感,以一种强大的力量把诗人推上了创作之路。

至于后者,"官退而诗力进",同样也是不刊之论。唐人徐凝早曾慨叹:"风清月冷水边宿,诗好官高有几人!"就此,明人王世贞剖析得最为深刻:"今之为官者皆讳言诗,盖言诗每不利于官也。不唯今时为然。即唐以诗取士,诗高者,宦多不达。"所以,王安石诗云:"诗人况又多穷愁,李杜亦不为公侯。"从这个意义上说,诗人之"富"乃在穷中。

"官退"分两种情况,一种是被迫的,如遭到罢黜、流放或破国亡家沦为贱俘者;一种是主动抽身、挂冠归田者。被动退出者"穷而后工",李后主当为显例;而主动远离官场者,如陶潜、顾炎武、郑板桥等等,确都属于"官退却惊诗力进"的典型。单就诗文创作而言,以前的仕宦生涯,不过是一种角色的表演,多的是置身其中的应对与迷茫;而一当以创作者的视角回过头来审视,多的是一种置身其外的清醒,从而更深刻地体会到世态炎凉、人情冷暖,从而进一步地理解社会、自然、人生、自我，体现出人的存在、个性的存在，这样，诗力自然也就进了。

郑珍曾接受知府平翰聘请，与莫友芝合纂《遵义府志》，历时三年，成书四十八卷。莫友芝有言：郑氏"平生著述，经训第一，文笔第二，诗歌第三。而惟诗为易见才，将恐他日流传，转压两端耳"，意思是诗名将会压倒经学与文名，而流传后世。

功成之患

沅甫弟四十一初度

曾国藩①

左列钟铭右谤书,人间随处有乘除。
低头一拜屠羊说,万事浮云过太虚。

清同治三年(1864)六月,湘军在曾国藩统领下,曾国荃(曾国藩之九弟,字沅甫)率师攻下天京城,从而结束了与太平天国历时十余年的战争。扑灭太平天国,兵克金陵,原是曾氏兄弟梦寐以求的胜业,也是曾国藩一生成就的辉煌顶点,一时间,声望、权位如日中天,达于极盛。按说,这时候应该一释愁怀,快然于心了。可是,曾国藩反而"郁郁不自得,愁肠九回",城破之日,竟然终夜无眠。原来,他在花团锦簇的后面看到了重重的陷阱、不测的深渊。情况已经非常清楚了,尽管他竭忠尽智,立下了汗马功劳,但因其用兵过久,兵权太重,地盘忒大,朝廷从长远利益考虑,不能不视之为致命威胁。过去所以委之以重任,乃因东南半壁江山危如累卵,对付太平军非他莫属。而今,席卷江南、飙飞电举的太平军已经灰飞烟灭,代之而起的、

---

① 曾国藩(1811—1872),号涤生。道光年间进士,累官两江、直隶总督,武英殿大学士,卒谥文正。中国近代著名政治家、理学家、文学家。

随时都能问鼎京师的,是以湘军为核心的精强剽悍的汉族地主政治、军事力量。因而,朝中传出一句可怕的流言:"打下一个洪秀全,上来一个曾国藩。"在历史老人的拨弄下,他和洪秀全翻了一个烧饼,从现在开始,湘军和太平军互换位置,成为最高统治者的心腹大患。

是年八月,曾国荃四十一岁生日("初度"),曾国藩写了十三首七绝作为贺诗,此为第十首。

诗中首先提醒,不要耽于胜利的欢腾而忽视形势的严峻,须知,与左侧的钟鸣鼎列相对应的,是右边的诋毁、告状的信件("谤书")错叠罗列。"钟鸣",击钟列鼎而食,形容侯门贵族的豪华排场。有的版本作"钟铭",解为朝廷的褒奖凭证。次句说,人间万事,盈虚消长,变化多端,安危莫测,盛衰无常,一切都没有定数。所以,陆游说:"寄语莺花休入梦,世间万事有乘除。"

接下来,作者又从两千多年前的古籍《庄子》中,请出一位远古先民来帮他说教。此人名叫屠羊说(悦),楚国人,以屠羊为业。在吴军攻楚,昭王逃难时,曾帮助做过事情,昭王复国后,便再三请他出来做官,他都断然谢绝。说,皇上丢了国家时,我也丢了宰羊的活计,现在皇上重登宝座,我又操起宰羊刀,恢复了一切,这已经很好了。我当然知道,三公之位要比卖羊肉高贵无比,三公的薪水我卖一辈子羊肉都赚不回,但是,我不能因为贪图高官厚禄,而让君主担一个滥行奖赏的恶名。表现了安于本分、看淡功名利禄的高尚品格和超拔境界。

三、四两句说,我们应该低头跪拜屠羊说为师,学习他的高明的见识和过人的智慧。确确实实,荣誉也罢,诽谤也罢,都不过是蓝天上的一片浮云,很快都会被风吹散,一切都将成为过去。

这首诗的后面,隐含着曾国藩的卓识远见与深重忧心。他在提醒曾国荃,睁开眼睛看清楚:值此大功告成,夙愿得偿之际,既是鲜花着锦、烈火烹油、无以复加的鼎盛时期,也是他们弟兄最招朝廷疑忌、最受朝野上下忌恨的艰难时刻,因此,必须居安思危,切记"功高震主"、"兔死狗烹"的古训。"处大位大权而震享大名,自古能有几人能善其末路者?总须设法将权位二字推让少许,灭去几成,则晚节渐可以收场耳。"(曾国藩《家书》中语)

咏物贵有寄托

捕蟹

于华春①

爬沙响处费工程,隔岸遥闻下簖声。
毕竟世间无辣手,江湖多少尚横行!

　　前人为诗,都很讲究章法、句法,特别关注:起承转合,要结构严谨,呼应映衬,血脉畅通,以防麻痹、阻塞。本诗就是这样。作者依据目见、耳闻、心想,层次分明地叙写螃蟹的爬行出没,引出实施捕蟹手段("下簖",在河流中插设拦捕鱼蟹的苇栅或竹栅),由此,发挥联想,转入议论,十分自然,而且前后贯通。最后的感叹,乃全诗之要领。诗人由螃蟹的恣肆张扬,横行无忌,联想到当时社会上坏人当道,作恶多端,发出"毕竟世间无辣手"的感慨,展现诗人强烈的忧国忧民情怀,抒写其愤懑不平之气。
　　当然,作为节肢动物,螃蟹的横行,原是一种不自觉的习惯性动作,科学研究证明,乃是受到地球磁场变化的影响造成的,根本与品性、操行无关。那么,诸如"眼前道路无经纬,皮里春秋空黑黄"(《红

---

① 于华春(1816—1878),字天埌。晚清贡生。曾长辰州书院,擅文艺,工诗画。

楼梦》中薛宝钗句);"常将冷眼观螃蟹,看你横行到几时"(元·杨显之句),"蝉眼龟形脚似蛛,未曾正面向人趋。如今钉在盘筵上,得似江湖乱走无?"(南唐·李贞白句)等等,"无肠公子"无端地惨遭千秋嘲骂,可说是"哪座庙里都有屈死鬼"了。

  不过,也有一些诗人对它们表示了哀怜与同情,甚至加以点赞。唐人皮日休诗云:"未游沧海早知名,有骨还从肉上生。莫道无心畏雷电,海龙王处也横行。"宋人黄庭坚更是感喟身世,寄情深远:"怒目横行与虎争,寒沙奔火祸胎成。虽为天上三辰次,未免人间五鼎烹。""勃窣媻跚任涉波,黄泥出没尚横戈。也知觳觫元无罪,奈此樽前风味何!"

  其实,嘲骂也好,称赞也好,无一例外,全都是诗人借题发挥、据以说事罢了,原是与喻体无干的。

错在失掉自我

西施咏

金和①

溪水溪花一样春,东施偏让入宫人。
自家未必无颜色,错绝当时是效颦!

这是一首哲理性很强的咏古诗。寓理蕴于叙事、论述之中,形象生动,见解高超,说服力也很强。

诗中涉及西施与东施两位著名的女性。西施是春秋末年的绝代佳人,越王勾践出于政治目的,把她献给吴王夫差。自此,吴王沉溺女色,荒废政事,终为越人所征服。在西施的故里苎萝乡,还有一位被人称作"东施"的年轻女子,看到西施因病心而蹙眉,觉得这样很美,便也仿效她的动作,结果遭致人们嘲笑。

诗人说,苎萝乡浣纱溪畔的绿水和红花,为东施与西施装点出同样的春光,就是说,两人有着相同的环境条件。可是,偏偏东施就比入宫邀宠的西施大为逊色("偏让")。依我看,东施本人未必就没有姿色,她最大的失误("错绝"),是失掉了自己,而盲目效颦!

---

① 金和(1818—1885),晚清诸生出身。梁启超誉其诗为"元气淋漓,卓然称大家"。

当代学者钟贤培指出,诗人借"东施效颦"的典故,表达其诗学见解,批评当时诗坛上一味复古摹拟的风气。金和一生作诗,不受当时尊唐或宗宋的时风影响,强调真实、自然,敢于创新。他曾自评其诗云:"所作虽不纯乎纯,要之语语皆天真。时人不能为,乃谓非古文。"这首《西施咏》所表达的诗学观点,与此恰合榫卯。

　　其实,从"东施效颦"这个故事,我们还可以作进一步的引申。当日,庄子在讲述丑女东施"归亦捧心而矉其里"之后,紧接着缀上一句:"惜乎,而夫子其穷哉!"深情惋惜孔夫子不顾时间、地点、条件的不同,固执地推行文王、周公那一套,就如丑女效颦一样可笑。这使我们悟出应该与时俱进、随时为变,不可固守陈规的道理。此其一;其二,庄子有感于战国之世,在社会昏暗、政治污浊的环境中,绝大部分读书士子都迷失了自我,随波逐流,摒弃了生命价值,"莫不以物易其性","危身弃生以殉物",为此,突出强调:要保持自性,维护自我的尊严与高贵,不受任何外在势力的控制与影响,营造一种从容、澹定的心态,以超拔的智慧化解现实中的种种矛盾,祛除一切形器之累。

警惕"逆淘汰"倾向

杂诗

金和

千金买驽骀,一顾失追风。
追风亦有罪,甘杂驽骀中。

诗中前两句说,由于相马者缺乏伯乐那样的慧眼,竟以千金重价买进来一匹劣马("驽骀"),而漏掉了奔驰如飞的千里马。"一顾",借指相马。《战国策》载,骏马立于市,三日无人过问,经伯乐一顾,遂价增十倍。

后两句,借助"追风(奔跑如飞)"这个话头,陡然一转,说正由于追风也是罪过,所以,千里马才会甘愿混迹于劣马群中,不想也不敢施展才能,如同韩愈所说:"骈死于槽枥之间,不以千里称也"。

写作理蕴诗,讲究深一层的发掘。本诗说的是马,实际是托喻人,马有追风与驽骀之分,人也有英才与庸才之别。就前两句看,讲了相马者看走眼了,导致失误这一社会现象,也可以引申到选人、用人出现失误的问题。但是,诗人并不止此,而是继续发掘下去,进而牵扯出"追风亦有罪"这个生面别开的话题。

"有罪"云云,表面上看,是说:这不能只埋怨相马人,你千里马自身也有责任啊,为什么偏要混杂到驽马群中呢?应该说,这是个伪命题。《左传》中有个"匹夫无罪,怀璧其罪"的成语典故,原指财宝亦能致祸,后来借喻为因有才能、有理想而招致祸害。这才是问题的根本所在。诗中深意在此。

  那么,又要问了:为什么会出现因才致祸的现象呢?这就牵涉到社会、体制的问题了。封建时代,政治黑暗,社会污浊,昏庸、奸邪者当道,英才走投无路,甚至惨遭刑戮,所谓"黄钟毁弃,瓦釜雷鸣"。《史记·屈原列传》记载:"屈原至于江滨,被(披)发行吟泽畔,颜色憔悴,形容枯槁。渔父见而问之曰:'子非三闾大夫欤?何故而至此?'屈原曰:'举世混浊而我独清,众人皆醉而我独醒,是以见放(罢黜、流放)。'"在这种形势下,出现"劣币驱逐良币"的"逆淘汰"倾向,就势所必然了。

歌哭无端

齐物诗(七首选一)

俞樾①

覆雨翻云幻蜃楼,人生何处说恩仇。
戏场亦有真歌泣,骨肉非无假应酬。

　　作者先下结论:人间世事,像海市蜃楼那样,变幻莫测,反复无常,单就人际关系、情感取向来说,很难固定地说恩说仇。接下来举出两个生活中的实例:一是,戏场上演戏,叫作假戏真做,歌哭无端,但是,赶上情感的强烈喷发,情不自禁的时候,欢歌也好,悲泣也好,也会有真情灼灼的流露;二是,同气连枝的亲生骨肉之间,按说应该都是真情实感吧,其实,也未必全都如此,有些时候,也会出现虚与委蛇,虚应故事,敷衍应酬的情形。

　　诗中的论断以及所举的事例,都符合生活实际、社会现实,许多人都有这方面的切身体验。单以演剧为例,清代诗人赵翼诗云:"明识悲欢是戏场,不堪唱到可怜伤。假啼翻为流真泪,人笑痴翁太热肠。"即便在现时代,这种情况也仍然存在。上世纪四十年代,解放

---

① 俞樾(1821—1907),字荫甫,号曲园。道光年间进士,授翰林院编修。晚清著名学者、文学家。

区演出《白毛女》时,由于扮演恶霸地主黄世仁的演员特别入戏,台下观众竟然群起暴动,要去保护喜儿;有的战士看到舞台上的黄世仁作恶多端,竟要开枪打死他。"戏场亦有真歌泣",这些都是明证。至于"骨肉非无假应酬",甚至"萁豆相煎"、"兄弟阋墙"、"同室操戈"的事,更是史不绝书。

诗词多是在特定的条件下产生的,就是说,创作总会有背景,有肇因。曲园先生此诗,原是有感于庄子的《齐物论》而作。庄子提倡齐一万事万物,主张超越世俗观念的束缚,忘掉物我之别、是非之辩,表现了对无差别的自由境界的向往。本诗从一个侧面呼应了这一思想观念,有助于读者从辩证、分析的角度看问题,不搞绝对化;事物或者人性都是复杂的,人们的认识更不能简单化、公式化。

舵手之歌

舵

俞樾

路当平处能持重,势到穷时妙转移。
只惜功多人不见,艰难唯有后人知。

对于航行水中的船舶,尾部的舵是十分重要、绝对不可缺少的专用设备。它有两大功能:一是确保船舶按照既定航向行驶,即航行稳定性;二是随机变更船舶运行方向,航行术语称为回转性。不能想象,一艘航行在江海中的船舶,如果没有舵的操纵与掌控,任凭狂风怒浪肆意摆布,那将面临怎样的危险,不要说安全抵达预定港口,即便是一般的运转、航行也将没有可能。

诗中前两句所叙述的,恰好是舵的这两种功能:在风平浪静的水面上,舵能使船平稳持重,保持常态,正常运行;到了遭遇巨大险情,或者船行受阻,能够巧妙地转危为安,畅行无虞。后两句,用"只惜"二字,导引出感慨和议论:"只惜"什么呢?只可惜如此斡旋、掌控之功,操纵、转圜之力,都是作用在后面,发挥在水下,人们见不到,唯有身居船后的舵手才知晓。

诗题为"舵",诗中句句说的也是舵,但明眼人一看便知,说的乃是"舵手"之类的人。从诗中我们仿佛看到一位治国理政、执掌铨衡，却又功成不居、谦恭逊让、先人后己的伟大人物。诗中的"后人知"，一语双关：既是说，舵的位置在后，所以只有后面的人晓得它的作用；同时又含有即便当时不显，后世也总会受人景仰、追怀的意蕴。真是一首绝妙的、典型的哲理诗。

散 场 吟

别家人

俞樾

骨肉由来是强名,偶同逆旅便关情。
从今散了提休戏,莫更铺排傀儡棚。

俞樾于光绪三十二年(1907),以八十六岁高龄,在苏州曲园逝世。临终前留下十首七绝,即《十别诗》,此为第一首。

诗的大意是:亲人间以骨肉相称,这原本就是虚名,是勉强称作的。就像同住一个旅店,偶然相聚在一起,便也休戚与共、情感相关了。于今,我撒手红尘,同家人分手了,对我来说,家也就不存在了,如同一场木偶戏已经散场,也就再用不着部署、安排、撑持这个木偶戏棚了。

林语堂在小说《京华烟云》中,以英文引述此诗,后经译者译回中文,成了一首五言绝句:"家者一词语,征夫路中憩。傀儡戏终了,拆台收拾去。"基本体现了原意。但诗的韵味大逊原作;"强名"字样,也没有反映出来。"强名",意为勉强称作,也就是虚名。语出《老子》:"吾不知其名,强字之曰'道'(我不知道它的名字,勉强叫它作'道')。"杜牧诗句:"高人以饮为忙事,浮世除诗尽强名。""提休戏",即木偶戏。清·梁章钜《称谓录》:"傀儡,以木人为之,提之以索,故曰提休。"

  曲园先生胸次夷旷,淡泊荣利,退隐后徜徉湖山,一意著述,于名位起落绝不挂怀。作为国学大师,晚年儒佛合参,从这首诗中,还能看出道家特别是庄子的深刻影响。庄子说过,古之真人,不知道贪生,也不知道怕死,出生不欣喜,入土不排拒,顺其自然地来,顺其自然地去,不忘记自己的始原,也不究诘自己的结局。庄子将死,弟子欲厚葬之,他说,我把天地当作棺椁,把日月当作双璧,以星辰为珠宝,用万物做殉葬。这样的葬礼还不够完备吗?还有什么比这更好的!后世的陶潜,以庄子为依归,吟出"纵浪大化中,不喜亦不惧。应尽终须尽,无复独多虑"的名句。庄子还以蝴蝶梦隐喻生和死,说人之向死而生、向生而死,犹如人之由寐而寤、由觉而梦;觉与梦、生与死只具相对意义,实际上不过是生命状态、生命形式的转换而已。俞曲园以木偶戏喻人生,以傀儡棚喻家庭,看来也是从中有所借鉴。

野鹤的悲剧

饲鹤

纪钜维[①]

鸡鹜群争尽日忙,一声清唳晚风长。
怪渠本具凌霄翮,苦傍人家觅稻粱。

诗人从野鹤被人饲养,失去固有的本性,生发出一番发人深省的感慨。

诗中说,那遨游天际、品性清高的野鹤,如今竟然闲居在农家小院里,整天忙碌着与鸡鸭("鹜"为野鸭)争食,不免令人哀伤、怜悯。不过,也看得出来,它似乎并不怎么甘心,这从它在晚风中发出的一声声悠长的清唳可以观察出来。说来也真是奇怪,本来它也具有冲霄的健翅,怎么就不想高飞远骛,偏偏苦傍着主人家,寻觅那一点点可怜的粮食呢?

诗人说的是鹤,实际上着眼于人——世上确有一班读书士子,原本胸怀宏大志向,也有条件高飞远引,能够出去干一番事业,却安于现状,自甘沦落,不思进取,终日"苦傍人家""为稻粱谋"。这里蕴含

[①] 纪钜维,同治年间拔贡,官内阁中书。为纪昀五世孙,陈散原称其"读书、评诗有家法"。

着"哀其不幸,怒其不争"的讽喻,却又不取剑拔弩张姿态,体现一种"怨而不怒"的传统诗教风格。

现代著名学者顾随有言:"夫咏物之作,最怕为题所缚,死于句下。必须有一番手段,使他活起来。狮子滚绣球,那球满地一个团团转,狮子方好使出浑身解数。然而又要能发能收,能擒能纵,方不至不可收拾。"洵为至理名言,于此诗可观其大概。

空谈误国

论古人(十四首选一)

李龙石[①]

迂腐何能致太平,坐筹时务笑诸生。
吟诗最爱船山句:只可谈兵勿将兵。

在这首咏史感怀诗中,说是"论古人",实则借古讽今,矛头直指那些不通世务、专事空谈的人们。诗人说,他们坐在屋子里来筹划时务,解决现实诸般的矛盾。迂腐如此,怎能期望依靠他们达致太平呢!"笑诸生":嘲笑那些迂腐不通世故的书生。明清两代,称已入学的生员为"诸生",俗称秀才。实际上,诗人讥讽的范围可能要更广一些。因为这些秀才,即便是不"迂腐",他们也没有"致太平"的本钱。可见,此乃泛指持"书生之见"的人。

说到这里,本来要发表的意见,已经陈述清楚了;但诗人为了增加立论的分量,便采用《庄子》中运用"重言"的做法,借重前代名家的话语,来说明那些书生纸上谈兵头头是道,待到接触实际,就一筹莫展,"百无一用"了。清代诗人张问陶(字船山),在七绝《新启孙子

[①] 李龙石(1841—1907),原名澍龄,字雨浓。辽宁盘山人。晚清咸同之际举人,才名动辽沈间。一生怀才不遇,历经坎坷。著作甚丰,勇于仗义执言,针砭时弊。

祠》中,有"只可谈兵勿将兵"之句。

钱锺书先生《谈艺录》中,就"纸上谈兵"一语,旁征博引,分析至为详尽:"闻声相思,优于进前奉御焉。文士笔尖杀贼,书生纸上谈兵,历世皆话把"。接着,就讲了南北朝时著名文人吴均的实例。"吴均为文,多慷慨军旅之意。梁武帝被围台城,朝廷问均外御之计,(均)忙惧不知所答,启云:'愚意愿速降为上。'"

李龙石饱经忧患,遍游南北,阅历丰富,深谙社会政治、世道人情,故其所论有理有据,直抵要害。对于针砭时弊,疗治晚清官场中徒尚空谈、不务实际的颓风,可说是一针见血,恰中肯綮。

但有一点应该指出,张船山诗中"只可谈兵勿将兵"的原意,并非讽刺书生议论,空谈误国,而是另有所指。其有此作,盖源于挚友孙星衍藏有孙武名印,并为之新建祠堂。所以,诗一开头就说:"小铸铜章记姓名,著书筹策气纵横",饱含对孙子的景仰之情。后两句,引申开去,借题发挥,披露主旨:"故人转眼浮江去,只可谈兵勿将兵"。"故人"指伍子胥。说,孙子这样只是谈兵著书,而不带兵打仗,非常高明;谓予不信,且看看他的老朋友伍子胥吧,统率大军灭楚兴吴,功震九州,可是,转眼间即含恨自尽,被吴王抛尸江上。说明"将兵"下场的可怕。张问陶在《即事》一诗中,还有"纸上谈兵壁上观,立言先虑立功难。看人连臂辞蓬岛,未敢轻弹獬豸冠"之句。为什么立功要"先虑"?(刘禹锡《韩信庙》诗,有"遂令后代登坛者,每一思量怕立功"之句)为什么人们纷纷辞离"蓬岛"(在圆明园福海中央)?为什么不敢轻易弹冠出仕?这和乾嘉之际政局紊乱、民变蜂起、文网严酷有直接关系。但都是不便明说,点到为止。

以李龙石之腹笥丰厚、学富五车,显然不是出于误读。我们注意到,他所引述的并非张氏全诗,而是单取"只可谈兵勿将兵"一句。这类所谓"赋诗断章",其实,乃古人惯为之事;他们并非有意篡改原诗意旨,而是"假借古之'章句',以道今之'情物'同作者之运化"

(钱锺书语)。《左传·襄公二十八年》,即有"赋诗断章,余取所求焉"(意为只截取《诗经》中的某一篇章的诗句来阐明自己的意见,而不顾及所引诗篇的原意,或指不顾全篇文章或谈话的内容,只取其中的一段或一句的意思)之说。明人何良俊指出:"《左传》用《诗》,苟于义有合,不必尽依本旨,盖即所谓引伸触类者也。"(《四友斋丛说》)

千金与一饭

春夜咏怀（四首之二）

李龙石

孔雀逢牛天地宽，风尘冷眼漫相看。
淮阴他日千金易，漂母当年一饭难。

李龙石大材槃槃，却历尽坎坷。二十二岁考中举人之后，多次进京会试，均因不善攀附、无人赏识，铩羽而归，从此绝意仕进，过着穷愁潦倒的生活。后为饥寒所迫，又为躲避债主，北上求亲靠友，深谙"开口告人"的困境。本诗正是这种状况下的心灵映现。

开头两句，形象地概括了淮阴侯韩信年轻时困守乡关的处境。"孔雀逢牛"是一个典故。杜甫《赤霄行》诗中，有"孔雀未知牛有角，渴饮寒泉逢觝触。赤霄悬圃须往来，翠尾金花不辞辱"之句。诗人运用比兴的手法，通过往来于赤霄玄圃（仙境）的翠尾金花的孔雀，渴而饮于寒泉，无意中邂逅长着犄角的大牛，结果招致抵触的情节，写他曾经遭受无赖少年污辱的难言之苦。长于用典的李龙石，随手抓来杜甫的这一掌故，用以说明当年的韩信也正是这样遭受"胯下之辱"，沦落风尘，遍遭冷眼。"天地宽"云云，是说他也像"孔雀逢牛"一样，从此开阔了眼界。

做过这个厚重的铺垫之后,作者展开了一番痛快淋漓的议论。仍然是就着韩信的话题,导入了"漂母饭信"这个故实:当日韩信在城下钓鱼,有几位老大娘在河边漂洗丝棉,其中一位大娘看见韩信饿了,便拿出饭给他吃,几十天都如此,直到漂洗完毕。韩信深受感动,对那位大娘说:"我一定会重重地报答你老人家。"大娘生气地说:"大丈夫不能养活自己,我是可怜你这位公子才给你饭吃,哪里是希望你来报答?"韩信后来做了楚王,特意拜见那位供他饭吃的大娘,赏赐千金,以为酬谢。

作者的议论,就是围绕着漂母与韩信"施"与"报"的前后两件事来展开的。之所以说"千金易"而"一饭难",其理由至少有四:一是从性质看,千金酬谢,属于报恩;而当年的"饭信",纯为怜惜落难王孙的义举,即令谈不上是慧眼识英豪,总还是"风尘知己"吧。清代诗人有"知己从来胜感恩"之句,信哉斯言。二是从格调看,知恩必报,诚然是可贵的,但终究是"有所为而为";而当初的供饭,完全出于"恻隐之心",或曰怜才惜士,根本没有任何个人打算。三是从条件看,韩信身居王位,富贵无比,莫说是千金,即便是万金,也不会费多少周折;而当日漂母,却是完全靠着艰苦的劳动所得来养家糊口的——她的家境肯定也十分困窘,否则,已经很大年龄了,还会出来漂洗衣物吗?四是从时间看,一次、两次供饭,不算太难,难的是几十天如一日,确是太难能可贵了。

写到这里,意犹未尽,想伸展开谈一谈。日前,北京某报载文,谈韩信因漂母一饭而报以千金,以及古训中的"滴水之恩当以涌泉相报",认为这两件事"有其不合理的一面"。基于"经济交易"中的"公平交换"原则,作者认为,在这种交易中,双方"都致力于最大限度扩大收益,同时降低代价",以实现"相等或者稍微多一点的方式回报对方"。这样,只要比原施者稍微多一点的回报量:一饭报以一金,或者滴水报以杯水、盆水就可以了。就此,当代学者王向峰教授指出,古往今来,在人际关系中的道德关系与经济交易关系根本不同,前者最高宗旨是善,后者终极关怀是利;善是为义而付出,利要合义而获得。如果在人际关系中普遍以利益交换为原则,即使是"公平交换",也谈不上是善。韩信发迹后以千金报答漂母,在漂母死后人们又为其修建漂母祠,其真正的意义并不在于报恩,让施恩者得到超重的回报,而在于阐扬和遵行知恩图报的道德原则。我们今天倡导知恩图报,赞扬"滴水之恩当以涌泉相报",是要使施恩与报恩不致沦落为商业场中的等价交换,让维护高尚道德行为的人情关爱,与锱铢必较的商品交换划开明确的界限。

物竞天择

己亥杂诗(选一)

黄遵宪①

乱草删除绿几丛,旧花能换日新红。
去留一一归天择,物自争存我自公。

1899年,岁逢己亥,黄遵宪效仿六十年前的龚自珍,也写作了组诗《己亥杂诗》,共八十九首,本诗为第二十首,自注:"种月季花"。

诗人通过日常种植花卉,阐释"物竞天择,适者生存"、优胜劣汰的进化理论。《天演论》讲:"物竞者,物争自存也;天择者,物争焉而独存,则其存也,必有其所以存。"这个"所以存",即"存物之最宜者也"。诗中说,铲除几丛乱草,淘汰了几丛旧花,另换上了鲜艳的月季新红。这种取优汰劣的去留,都是源于自然的选择,是"物自争存"的结果,也符合事物发展规律。不是我偏心眼,有意厚此而薄彼。

由于作者长期在西方国家担任外交官,较早地接触到达尔文、赫

---

① 黄遵宪(1848—1905),字公度。光绪年间,先后担任驻日、美、英等国外交官近二十年,积极主张变法革新。在文学上,提倡并实践"诗界革命",为近代具有代表性的重要诗人,有《人境庐诗草》传世。

胥黎"物竞天择,适者生存"的进化论,对于"弱肉强食的社会,并非机会均等,人要想生存发展,就得主动进攻","发愤图强,抓住各种有利机会,而不能消极等待"之类的道理,有比较深刻的理解。从这首七绝中,即可看出这些观念的影响。这在我国传统诗歌中是很少见到的,因此,特别值得重视。

应该指出,生物进化与社会历史发展,各有其不同的运行规律,不能用生物进化理论来解释社会历史现象。但在当时祖国面临外强瓜分危机的关头,从优胜劣汰、适者生存的角度,号召国人发愤图强、反抗侵略、救亡图存,却有其不容忽视的积极意义。

论者认为,其诗"上感国变,中伤种族,下哀生民,博以寰球之游历,浩渺肆恣,感激豪宕,情深而意远"(康有为);"近世诗人能镕铸新理想以入旧风格者,当推黄公度"(梁启超)。而"诗中的哲理,必须以艺术形象来表现,而不能全凭议论,否则就变为说理文字,缺乏美感,不成为诗。此诗后两句议论所揭示的哲理,蕴含在'旧花'句的艺术形象之中。因此,这首哲理诗,既具有耐人回味的理趣,又具有悦人心目的美感"。(钱仲联、赵杏根)

水流花落两无情

流水

释敬安[①]

流水不流花影去,花残花自落东流。
落花流水初无意,惹动人间尔许愁。

自然界的流水、落花,往往会触发诗人对社会人生、命运遭际以至宇宙间众多形态、现象的思索,作种种无边无际的联想。而作为"方外之人"的八指头陀,却是从这一寻常景物中,解悟出深邃的禅机,闪耀着哲理的火花。

佛禅以静为基础性观念,在参悟佛理过程中,几乎样样都与静相关,诸如静坐、静思、静虑、静悟、静修等等。"流水不流花影去",说的就是,水流尽管汩汩不停,迄无宁日,但是,花影却是静寂不动的。这个静寂,既反映出禅宗理念、哲学思维,又展示了一种美学形态,体现出宗教意识与审美体验的浑然融合。

但是,佛禅还有"语默动静体安然"的说法,既主静,又不否定动,从审美角度说,更须动静结合。司空图《二十四诗品》中就专设

[①] 释敬安(1851—1912),俗姓黄,名读山。湖南湘潭人。笃信佛教,曾于阿育王寺烧残二指,故又别号八指头陀。工诗,意境清空隽永。

"流动"一品。本诗的题目,就叫作《流水》嘛!"花残花自落东流",说的就是既然飞花片片落入东流,自是无时无刻不在流动之中。这又让人从中领悟了静中有动、动中有静的哲思理蕴。

佛禅认为,相由心生,世间万物皆是化相;自然界的水流花落两无情,更是无关人事。可是,人们竟然因此而坠泪兴悲,感喟无限,实在是妄念缠缚,未得解脱。作者最后以"落花流水初无意,惹动人间尔许愁"作结,就是阐明这个理念。关于这种说法,我们未必赞同。读者不禁要问:既然如此说,那么,禅师您为何还吟诗寄兴呢?

这就是事物的复杂性了。当代著名美学家李泽厚有言:"禅宗喜欢讲大自然,喜欢与大自然打交道,特别是在欣赏大自然风景时,不仅感到大自然与自己合为一体,而且还似乎感到整个宇宙的某种合目的性的存在,这是一种非常复杂的高级审美感受。"堪称确论。

但求神似

临池

文廷式①

不似何必临,太似恐无我。
遗貌取其神,此语庶几可。

古有"临池学书,池水尽黑"的记载,后因以"临池"指学习书法,或作为书法的代称。

诗中讲的是学习书法的辩证法,实际上,对于各种艺术形式都是共通的规律性认识。临帖,要求在似与不似之间。如果完全不似,从根本上走样了,那就失去了临帖的作用;但又不能全似、太似,否则就会丢掉自我。只有不求形似,但求神似,"意足不求颜色似",才有望达到成功的境地。

关于临帖的似与不似,过去有过争议。其基点,在于"似"作何解。若解作形似,则不足观;如果解作神似,则实无分歧。

清初顾亭林的《日知录》里,有两句论述学诗如何师法前代诗人的警语:"不似则失其所以为诗,似则失其所以为我。李杜之诗所以

---

① 文廷式(1856—1904),字道希,号芸阁。光绪年间进士。词人、学者,工骈体文,诗歌意境较高。

独高于唐人者,以其未尝不似而未尝似也"。文氏诗中"太似恐无我"云云,当源于此。各种艺术有其相通之处,一般情况下都从模仿入门,所以不能不似古人,不似则全无章法,失其所以为诗、为画、为书法;但是,最终还必须有所创造,有所突破,否则,全似古人,则失其所以为我。

"遗貌取其神",这里有一个典故。《列子·说符》记载,应秦穆公请求,伯乐推荐了九方皋为其相马。奔波了三个月,九方皋终于在沙丘一带找到了一匹千里马。穆公问他:马是什么样的?九方皋答说,是黄色的母马。但取回来一看,却是一匹黑色的公马。穆公很不高兴,责备伯乐说:"你推荐的那个相马人,竟连黄、黑毛色和公、母性别都分辨不清,怎么能鉴别马的优劣呢?"伯乐答道:"这正是他的高明之处。因为他对马的观察,深入到马的神理,得其精而忘其粗,在其内而忘其外,视其所视而遗其所未见。他重视的是马的风骨、气质,而把毛色、性别等次要因素都抛开了。"实际检验的结果,确是一匹天下稀有的佳骏。

这种抓本质、看主流,摄取事物神理而遗其皮毛外貌的做法,不独对于相马以至论才取士,同样也适用于包括书法在内的各类艺术门类。"此语庶几可",是说它符合客观规律。"庶几",意为"差不多"和"也许"。

目注苍生

春日杂诗(二首选一)

丘逢甲①

极目春城夕照中,落花飞絮木棉风。
绝无衣被苍生用,空负遮天作异红。

木棉,常绿乔木,又名攀枝花,在我国种植已有悠久历史,分布于粤、闽、川、桂、台湾等地。花红似火,气势磅礴,过去多被诗人赞赏。早在宋代,诗人刘克庄即曾吟咏:"春深绝不见妍华,极目黄茅际白沙。几树半天红似染,居人云是木棉花。"杨万里也有"却是南中春色别,满城都是木棉花"之句。清代诗人屈大均《木棉花歌》:"十丈珊瑚是木棉,花开红比朝霞鲜。天南树树皆烽火,不及攀枝花可怜(可爱)。"而张维屏的《东风第一枝·木棉》词,更把它拟人化,赋予它以英雄形象:"烈烈轰轰,堂堂正正,花中有此豪杰。一声铜鼓催开,千树珊瑚齐列。"陈恭尹更是直接许之以"浓须大面好英雄,壮气高冠何落落"的豪杰气概、壮烈情怀。

可是,到了丘逢甲笔下,却是另一副形象。前两句写眼中所见:

---

① 丘逢甲(1864—1912),字仙根,号仓海。客家人,出生于台湾彰化。光绪年间进士,授兵部主事。但他无意仕进,告假归隐台湾,主讲书院,颇负盛名。

春城远眺,但见夕晖斜照之中,风吹木棉花絮,漫空飞舞。后两句则是发抒观感,说木棉毕竟不是棉花,不过空有其名,虚声炫世而已,看它徒现令人惊艳的漫天"异红",却绝无"衣被苍生"之用。"衣被苍生",指加惠于人,广施恩惠于百姓。"衣被",本义为衣服之被体,此为动词,借用其义。

当然,我们也清楚,诗人在这里,不过是借题发挥,抓住木棉花这一意象,来讥讽一些人不务实际,徒尚空谈,看似天花乱坠,热闹非凡,实际于经邦济世、救国泽民毫无作用。

对于这位台湾籍的诗人,过去我们印象最深的,是他的深情灼灼的爱国衷怀。那首七绝:"春愁难遣强看山,往事惊心泪欲潸。四百万人同一哭,去年今日割台湾。"令人惊心悚目,痛彻心肺。看过这首《春日杂诗》,我们又被他的关心民瘼、顾念苍生的深情所深深感染。

论史者戒

有书时事者为赘其卷端（四首选一）

丘逢甲

人间成败论英雄，野史荒唐恐未公。
古柳斜阳围坐听，一时谈笑付盲翁。

甲午战争次年，《马关条约》签订后，清廷将台湾及澎湖列岛割让日本。丘逢甲闻讯，恸哭流涕。为了摆脱日本的统治，遂与一批爱国志士愤而起义，丘逢甲被委任为大将军，统率台湾民众奋起抵抗，终因势力单薄，寡不敌众，败归广东镇平，以台湾遗民自居。这四首《有书时事者为赘其卷端》七绝，就是是年秋天，丘逢甲踏上大陆时所作，自是有感而发。"赘其卷端"云云，意为补写在书写时事的报刊前面。

本诗为组诗的最后一首。立论的核心，就是"以成败论英雄"是不公的。应该说，这种不公现象，由来久矣。中国古代最早的史书汇编《尚书》中，即有"孰恶孰美？成者为首，不成者为尾"的记载；到了战国时期，《庄子·盗跖》篇中又借满苟得之口，对"胜者王侯败者贼"的现象加以抨击："小盗者拘，大盗者为诸侯，诸侯之门，义士存焉。"

"以成败论英雄"之所以不公,道理在于:我们所说的英雄,应该是才能出众、勇武过人、具有英雄品质、志存高远、为正义而献身、长期活在人民心中的杰出人物,单单以一时的成败是论不出英雄的。况且,为成为败,都是相对于具体目标而言,而这种目标即便是高尚的,实现与否,往往受到客观条件的制约;单以成败衡量,会片面地夸大功利意义,而诱导一些人为了达到目标而不择手段,这既不公正,更十分有害。也正是为此吧,著名诗人袁枚才予以断然否定:"成败论千古,人间最不公!"

　　后两句,显然是从陆游的诗"斜阳古柳赵家庄,负鼓盲翁正作场。身后是非谁管得,满村争说蔡中郎",演化而来。"盲翁",泛指旧时弹弦负鼓、说书唱曲的艺人。旧时说书、算命的,多是年老目盲者。"一时谈笑付盲翁"之句,语意苍凉,寄慨遥深。不难看出,诗人在把笔为诗,"赘其卷端"之际,心情是悲愤与激动的,冷隽中充溢着沉痛之感。他在设想:若是以成败论英雄,尔今尔后,又有谁会记得,当时台湾曾经有过这样一班不愿做亡国奴,拼死抗击日寇的烈士呢!无非是任凭"负鼓盲翁"去信口雌黄罢了。

讽刺的生命是真实

题宋徽宗画鹰

谭嗣同①

落日平原拍手呼,画中神俊世非无。
当年狐兔纵横甚,只少台臣似郅都!

诗一开始,就按照题画诗的惯例,先交代清楚宋徽宗赵佶笔下的画面景物,以为后文张本:平原上,落日下,一只苍鹰振翮腾起,地面上放鹰人拍手相呼。接下来,又从画中苍鹰的雄鸷形象,引申出下述结论:像这样雄鹰般的豪俊之士、杰出人才,世间并不是没有。三、四两句,进一步就此展开议论。说徽宗朝的权奸之所以横行无忌,就因为没有西汉名臣郅都那样的御史去弹劾、纠察他们。话题到此戛然而止,却留下一个供人思索、令人追诘的问题:刚刚说,世间拥有那样杰出的人才,那么,为何却又说"只少台臣似郅都"呢?

这是一首绝妙的讽刺诗。妙在寄怀深远,却故意设阵存疑;妙在立足真实,却又层层设喻。

---

① 谭嗣同(1865—1898),字复生,号壮飞。少怀大志,兼擅诗文。甲午战争后,提倡新政,曾参加康有为、梁启超领导的维新运动。为"戊戌六君子"之一,变法失败后入狱,壮烈牺牲。

所谓寄怀深远、设阵存疑，是指诗中借题画鹰以指斥时政，却又并不挑明，但明眼人一看便知它的锋芒所向——既然有郅都，却又不用，责任当然是在朝廷了。

鲁迅先生说过："'讽刺'的生命是真实；不必是曾有的实事，但必须是会有的实情。所以它不是'捏造'，也不是'诬蔑'；既不是'揭发阴私'，又不是专记骇人听闻的所谓'奇闻'或'怪现状'。它所写的事情是公然的，也是常见的"，"现在给它特别一提，就动人"。在这里，诗人层层设喻，如以北宋末年的衰朽比喻晚清政局，但不是空泛议论，而是顺手抓住画鹰的宋徽宗，一提起他，人们会立刻想到重用权奸、阉宦，贿赂公行，卖官鬻爵；骄奢淫佚，溺信虚无，崇饰游观，困竭民力，巧立名目，搜刮民财等腐败行为，也会进而联想到慈禧太后的种种恶行。至于以"狐兔纵横"比喻徽宗时的权奸童贯、蔡京之流；以"神俊"（指画中苍鹰）借喻英杰之才，更是显而易见了。

这里最让人开眼的，是以史上绰号"苍鹰"的郅都与画上的苍鹰作比。郅都为西汉景帝时以严刑峻法镇压不法豪强、维护封建秩序的名臣。时任中郎将，他以敢于向朝廷直言进谏，深得景帝赏识。后任御史（"台臣"指此），执法严明，不畏权贵和皇亲国戚，连列侯和皇族之人见到他，都要侧目而视，称呼他为"苍鹰"。结果，为此开罪于窦太后，被罢黜免官，最后处死。

世事说来，确有不可思议处。作此诗时，谭嗣同大概不会料到他的最后结局竟然与郅都相同，也是死在一位太后手里。当然，在他呼唤郅都时，不会忘了窦太后，而且也会联想到当朝那位阴险毒辣的女主角。

沧桑看云

香山雨香岩杂诗

罗敦曧[①]

清晨自课踏青峦,小住能令腰脚顽。
莫笑老夫忘世事,爱将朝局当云看。

诗人曾小住北京香山,本诗记其晨起登山时的感受。

尾句"爱将朝局当云看"为全诗之锁钥,着眼于朝政局势之云谲波诡,变化无常。因此解读本诗,首先要弄清楚:诗中的"朝局"究何所指,起码应该知道是指晚清抑是民国。诗人出生于同治十一年,病逝于民国十三年,享年五十二岁。从诗中用词"老夫"与"腰脚顽(健)"来看,可以约略测知成诗当在五十岁左右。当时军阀割据称雄,或为争夺中央政权,或为扩大自己地盘,连年不断地纷争,导致战乱频仍。这样,就容易理解了,所谓"朝局当云看",乃是讲军阀混战,派系林立,"你方唱罢我登场",像天上浮云那样,瞬息万变,不可捉摸;而那些军阀也是像浮云那样,变化频仍,去来无定;他们一向是朝三暮四,"有奶便是娘",根本不讲什么操守。

[①] 罗敦曧(1872—1924),号瘿公。晚清优贡生,为一代名士,善书法,擅诗词,能饮酒,喜交游,乐助人,尤精戏曲。

那么,"莫笑老夫忘世事",又当作何解呢?原来,晚清时诗人为邮传部郎中;民国成立之后,先后出任总统府秘书、国务院参议,后来,愤于袁世凯复辟帝制,弃政而攻文。"始为避祸,终成戏迷",与一些京剧名家交往,写了十二部剧本,著有《菊部丛谭》。时人有以"遗落世事"讥之。实际上,瘿公诗中涉及时事者不少,只是"多隐晦、冷峻,不直说本事始末"。著名学者黄节有言:"瘿公之为人,若无所用其心者,然亦时有忧生之叹。"而早年诗文,对晚清政府无能致辱的批判,对官场昏庸腐败的讥讽,则锋芒直指,不留情面,以致被人骂作"疯言疯语",因而曾以诗自嘲:"久矣世人皆欲杀,竟能容我醒而狂"。

就此也能看出,本诗当作于晚年,如其自己所言:"经过忧患供谈笑,吟望溪山变古今"。诗中把叙事、写景、抒情、议论有机地结合起来,造语冲淡,兴味盎然,收到了灵动脱俗,不落窠臼,"以微细蕴博大"的效果。

不负初心

梅(十首选一)

秋瑾[①]

冰姿不怕雪霜侵,羞傍琼楼傍古岑。
标格原因独立好,肯教富贵负初心?

　　这是咏梅组诗的第十首。标题是"梅",通篇也都是作梅的文章,但语句中却不见一个"梅"字,而梅的标格、风韵,豁然自见。
　　诗中通篇运用拟人化手法,而且层次分明:首句描绘梅花的外在风貌,冰肌玉骨,傲雪凌霜,一副勇敢斗士的卓荦风范。次句展现梅花立身高洁、自甘清寂的内在品格。原本出身高贵,"本是瑶台第一枝",却羞于依傍琼楼玉宇,这倒不是由于"高处不胜寒",而是表明不愿攀高结贵,也不想栖身仙界,只是安于寂静的空山。这里的"古岑",显然是指孤山,爱梅的林和靖所在的处所。第三句,讲述梅花的理想、抱负,阐明梅花之所以傲雪凌霜,之所以羞傍琼楼、苦守孤山,都是为了保持一己的独立品格,自由心性。"标格"二字,系指梅

[①] 秋瑾(1877—1907),字璿卿,别署鉴湖女侠。为了中华民族的独立、解放事业,她在风华正茂的青年时代,英勇地献出了宝贵生命,是中国近代杰出的女革命家和巾帼英雄。诗风刚健遒劲,雄浑豪放,具有浓郁的革命浪漫主义特色。

花的风韵、气度、风骨。结句力重千钧,一语破的——岂能因为贪恋富贵而改变初衷,负却自己的本性("初心")?"肯",是岂肯的省略词,意思为怎么能够。古代诗词中常用,如宋祁词:"浮生长恨欢娱少,肯爱千金轻一笑?"即其一例。

  说是咏梅,实际上是诗人托物明志,借梅花以自喻,表达自己的襟抱与追求。清代著名学者王夫之有言:"情、景名为二,实不可离。神于诗者,妙合无垠。巧者则情中景,景中情。"这里一个重要手法,或者说沟通渠道,就是以所写景物的自然属性为依托,充分发掘其社会属性、精神质素。譬如咏梅,自古以来,诗人们就是借助梅花这个特定的理想意象,在它的身上融入自己的种种精神寄托,换句话说,从梅花的高标逸韵中寻找平生知己。有的赞赏梅花傲雪凌寒、坚贞不屈的斗争精神;有的标榜梅花清奇高雅、不卑不亢的气质风韵;有的彰显梅花不随流俗、孤芳自赏的独特个性;有的张扬梅花与世无争、淡泊自甘的闲情逸趣。应该说,这些方面,在秋瑾的七绝中,基本上都涉及了;而且有所发展,有所升华,那就是突出强调了人格独立和恪守本色、不负初心这两点精神意蕴。它们充分体现了秋瑾这一近代知识女性的自身经历和鲜明的个性特征,在今天仍然具有现实意义与时代价值。

美的发现

舟还长沙

郭六芳[①]

侬家家住雨湖东,十二珠帘夕照红。
今日忽从江上望,始知家在画图中。

诗人通过记述傍晚还家的观感,阐明了"美的发现"和美学上的"心理距离"说。

家,每天都见得到,但对它的美的形象,从前却未曾注意,更谈不到欣赏。可是,一个偶然机会,却突然发现,家原来竟然镶嵌在画图里,融在自然的一片美妙无俦的形象之中。诗人形容为"十二珠帘",以状写夕阳映照下屋宇的华严、隽美。其实,并非由于家发生了什么变化,而是,美的形象本来就存在,只是过去没有关注、未能发现罢了。

这就应了大雕塑家罗丹那句名言:"生活中并不缺少美,而是缺少发现美的眼睛。"那么,女诗人的"发现美的眼睛",又是怎样获得的呢?换言之,她何以能够突然发现这一自然美呢?原来,她每天匆

[①] 郭六芳,字漱玉,晚清女诗人,有《绣珠轩诗抄》。

匆来去，并未着意、也没有心思关注家所处的环境，而当她心境宁帖下来，对自己的日常生活，按照美学家所说的"拉开适当的心理距离"，亦即把"家"这个特定的对象，置于一定的时空条件下（"夕照红"与"江上望"）来"静观"，这样，就发现了原来所未曾留意的自然美；家，融在自然的一片美的形象里，如在画图之中。

　　这里谈了两个发现美的必要因素：一是主观的心理条件——"心理距离"和"静观默察"；二是客观的物的条件，那种"夕照红"和"十二珠帘"的装点，那种和谐、烂漫的自然景象。如果没有前者，不能保持适当的心理距离，整天陷于实际生活的思虑，终日被繁杂的事务所羁绊，难得有片刻消闲，那就无法使自己的心绪沉淀下来，专注于观察、体验，投入美的欣赏；而如缺乏后者，便无法在接触具体事物过程中，受其作用、影响和刺激，产生愉悦、满足等美好感觉，也无法营造出美丽、华严的意境与形象，更好地为人所感知。宗白华先生说得好："我们心理上的空间意识的构成，是靠着感官经验的媒介。我们从视觉、触觉、动觉、体觉，都可以获得空间意识。"这种空间意识，正是通过上述主客观条件来体现的。

　　关于诗中的"雨湖"，从诗题中可知，地处长沙，那里今天还有雨湖公园；也有的选本题为"两湖"，未知孰是。

无情泪送有情人

本事诗(十首选一)

苏曼殊①

乌舍凌波肌似雪,亲持红叶索题诗。
还卿一钵无情泪,恨不相逢未剃时。

《本事诗》始于唐代,多为记述唐人诗之本事,同时保存一些唐代诗人的轶事。作者借用这种形式,写了十首七绝,记述他与日本艺伎百助枫子的情感经历。本诗为其中的第七首。

1908年底,诗人在东京的一次演奏会上,与百助枫子相识,两人一见倾心,很快便坠入了爱河;但是,由于其身世特别,又皈依佛门,自知生死无常,不能给百助以家庭的安顿和幸福的保障,因而始终未能成婚。本诗就充分反映了他的内心的矛盾冲突。

首句以印度传说中的神女乌舍来比喻百助,说她步态轻盈,肌肤莹洁似雪,宛如凌波仙子。关于"乌舍",作者原注:"梵土相传,神女乌舍监守天阍,侍宴诸神。"次句用"红叶题诗"的典故,暗喻百助曾向他主动求婚,反映出二人热恋的深情。"红叶题诗",最早见于

---

① 苏曼殊(1884—1918),法号曼殊。曾三次剃度为僧,又三次还俗。近代作家、诗人、翻译家。能诗擅画,诗风清艳明秀,别具一格。

唐·孟棨《本事诗》。唐时上阳宫女众多,常题诗红叶,抛向宫苑中的流水,以寄寓幽情。

那么,结局如何呢?第三句说,作者眼含热泪,万般无奈地予以婉言拒绝。原因何在?第四句"恨不相逢未剃时"透露出个中消息。作者的意思是,时机太晚,他已经削发为僧了,话语中充满着无奈与憾恨,而且,苦衷又难以尽情倾诉。之所以说是"无情",是因为自己已经托身佛门,不再属于有情(更不要说多情)世界了。

这里巧妙地化用唐代诗人张籍《节妇吟》中"还君明珠双泪垂,恨不相逢未嫁时"之句。不同的是,张诗从字面上看,似乎也难舍难分,凄婉哀伤,像煞有介事;但真实的背景,却是诗人洁身自好,爱惜羽毛,不肯与拥兵跋扈的乱臣为伍,因而托词以却聘;而苏诗则是情到深处,难以排遣,"还卿一钵无情泪",却永生永世也偿还不了这场相思债。这从他的"无端狂笑无端哭,纵有欢肠已似冰";"收拾禅心侍镜台,沾泥残絮有沉哀"等诗句中,便可以看得分明。所以,论者说:"苏曼殊不是一般的禅僧,准确地应称之为情僧,情与禅抗颜接席地渗透在他的骨髓里。"

是时,东渡日本的陈独秀,恰好与他同住,深谙其中内情。苏曼殊《本事诗》写出后,陈氏也曾依韵奉和。与本首相对应的和诗是:"目断积成一钵泪,魂销赢得十篇诗。相逢不及相思好,万境妍于未到时。"风流蕴藉,充满哲思。含蕴是,世间所有的境界,最妍美、最动人的,就在无限向往而尚未到达的那个时刻。

金碑银碑不如民众口碑

题武侯祠

邹鲁①

门额大书昭烈庙,世人都道武侯祠。
由来名位输勋业,丞相功高百代思。

位于四川成都的武侯祠,原本是蜀汉先主刘备的祠庙,始建于公元223年刘备陵墓竣工之日。它是中国唯一的一座君臣合祀的祠庙。里面有刘备的惠陵,门楼之上高悬着"汉昭烈庙"四个金字匾额;而为纪念诸葛亮所修建的孔明殿,仅是整个祠庙里的一座建筑。按照中国封建传统的纲常伦理"君为臣纲"的政治逻辑,自当一切以君王为依归;一部"二十四史",就正是依据这一规则写出来的。验之以历朝历代的帝王祠庙,更是绝对没有臣子与帝王平起平坐、分庭抗礼的现象,否则,就是大逆不道了。即便是奇功盖世的开国元勋,也只能作为帝王的配祀,屈居一侧,这就是莫大的荣耀与恩典了。唯独成都的武侯祠,独一无二,成了例外。估计这种情况,早在唐代就已经存在了,这从杜甫《蜀相》七律中"丞相祠堂何处寻?锦官城外

---

① 邹鲁(1885—1954),幼名澄生,以"天资鲁钝",自改名为鲁,别号海滨。广东大埔人。国民党元老,政治家、教育家。著有《中国国民党史稿》《邹鲁回忆录》等。

柏森森"之句可以看出。也许,武侯祠("丞相祠堂")说法的出现,还要更早一些。

那么,这种情况是怎么形成的呢?比较普遍的说法,是先自民间开始,由于诸葛亮影响大,无人不知,有口皆碑,千百年来,当地民众或外来的游客,不管门额上书写什么"汉昭烈庙",更不顾及什么"君尊臣卑"的封建礼仪和这座祠庙本来的属性,众口一词地全都以"武侯祠"称之。最后,习惯成了自然,官方想改也没有办法,也就"顺水推舟"过来了。这倒有力地证明了"金碑银碑不如民众口碑"这句民谚的真理性。

本诗就是从武侯祠与昭烈庙混同在一起这一特异现象,引发出一个如何看待名位与勋业的普遍性问题,并做出了客观、准确的回答。

诗中的"由来名位输勋业",提出了一个历史人物评价标准的问题。古往今来,评说为政者不外三个层面:一是名位,包括职级、地位、名分,亦即所谓"功名",这应属于浅表层次;二是勋业,泛指勋劳、功业、建树、奉献,这就深入一层了;三是在中华文化传统中,功业、贡献之外,评价历史人物,还要看其人的思想、品格、德行、风范,这就进入了道德伦理、价值判断的深层次。就诸葛武侯来说,尽管名位居于刘备之下,但由于他同时占据了后面两点,特别是忠于国家、热爱人民,"鞠躬尽瘁,死而后已"的完美人格,获得了千秋万世人民的崇高敬仰与衷心爱戴。这样,"门额大书昭烈庙,世人都道武侯祠",就完全可以理解,甚至成为必然的了。